コロナの暗号

人間はどこまで生存可能か？

筑波大学名誉教授
村上和雄

GENTOSHA
幻冬舎

【目次】

1 私たちの地球はどこまで持続可能か

2 「コロナ」が教えてくれたこと

3 科学者は間違っていなかったか

4 遺伝子は「いのち」の謎に迫れるか

5 人類は遺伝子ONで進化する

6 人類が「生きる」ための「合い言葉」

7 Withコロナの危機の時代に日本人が果たす役割

カバーデザイン　石川直美（カメガイ デザイン オフィス）
画像提供（カバー、Ｐ１）　NicoElNino/Shutterstock.com
本文デザイン・ＤＴＰ　美創

1

私たちの地球はどこまで持続可能か

私たちの「もっともっと」が人類の未来を滅亡させる

最近、しきりに「二〇三〇年の分岐点」ということが言われます。あと十年に満たない期間で、世界の状況はのっぴきならない段階を迎え、その後の人類の運命が大きく分かれると言われているのです。

この背景にはもちろん、地球上の人口が増え続け、二〇五〇年には一〇〇億を超えるという予測があります。人口だけでなく、人間の活動のすべてが「モア・アンド・モア」（もっともっと）の勢いで膨張し続けています。

結論を急ぐようですが、生命科学者としての立場から端的に言えば、この岐路に立たされた人類の命運は、この「モア・アンド・モア」の生き方からの切り替えができるかどうかにかかっていると考えます。

振り返ってみれば、日本の元号では平成の三一年が終わり、新たな時代「令和」が始まってすでに三年目を迎えました。平成というこの三十余年の間に、世界の状況はあらゆる分野においてグローバル化が進みました。地球単位で物事を捉え直さなければならない、「地球時代」へと激変したのです。

「激変」というのは、国、宗教、地域、人種を超えた運命共同体としての人類という意味においてです。その結果、地球環境はもう人類の生存が危うくなるところまで、切羽詰まってきてしまいました。

先進国でも発展途上国でも同様に、異常気象が起こっていることによっても明らかでしょう。このまま何もしなければ、人類の未来は火を見るより明らかです。

しかも、この人類存亡の危機は、ほかならぬ人類自らの責任によるところが大きいのです。この地球上に生きる人間の中で、地球環境の変化と繋《つな》がっていない人はただの一人もいません。

このままでは地球は取り返しのつかない状態になってしまう。平成に入るより前から、すでに世界中で警告されていました。一九六二年に著《あらわ》されたレイチェル・カーソンの『沈黙の春』(青樹簗一訳、新潮文庫)は、生態系の破壊を世に訴えました。あれから半世紀。事態は悪化の一途をたどっています。

人類は警告に耳を傾けることなく、「モア・アンド・モア」で目の前の享楽に耽《ふけ》り、同胞の苦しみなど見ない振りをしています。つまり、限りある資源を野放図に使い続け、同じ地球に生きる動物や植物の命など、いささかも気にせずに行動してきた、と言わざるを得ません。

二〇世紀最大の知識人と呼ばれるフランスの経済学者、ジャック・アタリ氏も、二一世紀中に人類の歴史に終止符が打たれる可能性があると書きました。

哲学者でもあり、ミッテラン政権の大統領補佐官を務めたこともある彼が、二〇〇七年に未来の政治と経済を予測した著書、『21世紀の歴史　未来の人類から見た世界』（林昌宏訳、作品社）は、日本でもベストセラーになったのでご存じの方も多いでしょう。

これまでソ連崩壊や金融バブル、インターネットの普及などを言い当ててきた彼によると、このままいけば金銭による人類の支配はさらに国境を越え、拡大し続ける市場によって二〇五〇年ごろには「超帝国」が生まれる。

地球規模で統一された市場では、自然環境は破壊され、軍隊や警察、裁判所を含め、すべてが民営化される。公共サービスも民主主義も、政府や国家さえも破壊されるなかで、貧富の格差はいよいよ拡大し、貧困層が増大していく。

やがて、世界各地で未曾有《みぞう》の「超紛争」が勃発し、いかなる国際機関も調停に乗り出せない。ついに世界は巨大な戦場と化して、一般市民はあらゆる種類の大量破壊兵器の餌食《えじき》となり、人類は滅亡へと導かれていく、と予言しているのです。

これらの予言は、結局、「超帝国」にしても「超紛争」にしても、限られた地球という生存空間を、奪い合い破壊しつくしてきた人類の「超破壊」行為の結果と言わなくてはならないでしょう。

まさに現代文明の行きつくところ、果てしない人類の欲望の「モア・アンド・モア」が、人類自らの滅亡をもたらそうとしているのです。

まとめ

ジャック・アタリの予言——
二〇五〇年には民主主義も政府も、国家さえもなくなる。

「人新世」とは人類が地球を破壊する時代

人類の「モア・アンド・モア」が顕在化し始めたのは、一六世紀の大航海時代からといえるでしょう。この時代、西洋諸国はより多くの資源や産物を求め、海を渡りました。新大陸の発見を経て、西洋にとっての「世界」はこの時代に大きな広がりをみせます。

さらに、一八世紀後半の産業革命によって急速に近代化。自分たちの豊かさや領土、権力を求めて、帝国主義の時代へと突入していくことになります。金と力の闘争を世界規模で繰り返す西洋型近代文明が東洋を支配し、その結果、いまの環境問題を引き起こしているのです。

その行きつく先は、先述したとおり、人類自らの滅亡しかありません。

最近、こうした人類自らの手による重大な時代変化に着目し、新しい地質学・生態学上の時代区分が注目を集めています。オゾン層の研究で、一九九五年にノーベル化学賞を受賞したオランダの大気化学者、パウル・クルッツェンが提唱したものです。

従来の時代区分で最も新しい時代とされてきたのは、一万七〇〇〇年前から続く「ホロシーン」（「完新世」）と呼ばれるものでした。

一方で、クルッツェンが提唱したのは、人類の経済活動が地質学的なレベルの影響を与えている時代として、現代を「アントロポセン」（人類の新しい世）、日本語では「人新世」（「ひとしんせい」または「じんしんせい」）という呼び名で区分けするものでした。

「アントロポス」はギリシャ語で「人間存在」、「セン」は新しい地質時代を表します。地球と人間の関係が、人間の営みの影響でそれ以前の時代とは大きく変わってしまったというのです。

研究書では「地球環境における人間の痕跡がいまや広範で激しくなったことで地球システムの機能に衝撃を与え、自然の他の巨大な力に匹敵するようになった」（『人新世とは何か〈地球と人類の時代〉の思想史』クリストフ・ボヌイユ＋ジャン＝バティスト・フレソズ著、野坂しおり訳、青土社）という事実に特徴づけられる時代と、定義されました。

現在のところ、人新世は一九五〇年前後に始まったという説が有力視されています。なぜ一九五〇年が境目となるかというと、第二次世界大戦後、人口の増加、グローバリゼーションが急速に進んだことに起因します。それに伴《ともな》い、工業における大量生産や農業の大規模化、都市の巨大化、テクノロジーの進歩といった社会経済における大きな変化が起きました。そして、二酸化炭素やメタンガスの大気中濃度、成層圏のオゾン濃度、地球の表面温度や海洋の酸性化、海の資源や熱帯林の減少といったかたちで地球環境に甚大な影響を及ぼしています。

これまで地球では、生物の大量滅亡という危機に、過去に五度直面してきたと言われています。いちばん近いのは六五〇〇万年前で、恐竜など生物の七五%が絶滅したと推定されています。

こういった危機を引き起こすのは、これまで、地殻変動や火山活動、巨大隕石の衝突などの自然災害でした。一方でいま進行しているのは、森林破壊や化学物質の使用、乱獲など人間活動が主因です。しかも、かつてないほどの速度で進んでいます。

生物が地球上から消える速度は、恐竜時代には約一〇〇〇年に一種と推定されていました。ところが、西暦一六〇〇～一九〇〇年には約四年に一種、一九〇〇年代前半には一年に一種、一九七五年ごろには九時間に一種、一九七五～二〇〇〇年には一三分に一種、と絶滅のスピードがどんどん速まっています。

この先二〇年間、抜本的な対策を講じないまま推移すれば、地球環境は修復不可能なときを迎えると、環境科学者は警告を発しています。いままさに人類は、自らの手で自らを滅ぼす可能性に向かって突き進んでいるとしか思えないのです。

そして、前述の研究書は「人新世とは我々の力のしるしであるが、同時に我々の無力さのしるしでもある」と述べ、我々の身に起きていることは、環境危機などに留まるものではなく、人為的な地質学的革命であると位置づけています。

これを言い換えれば、まさに前項で述べた「モア・アンド・モア」の時代であり、レイチェル・カーソンやジャック・アタリなどによる多くの警告も、私が半世紀も前から繰り返し訴えてきた地球の危機も、この「人新世」の概念に重なります。

それは、まさにかつてなかった新しい危機であり、人類が、「利己的な遺伝子」に突き動かされる愚かな生物であることを証明しているかのようでもあります。

しかし、私は長年の研究から、遺伝子には「利己的」なものと「利他的」なものの両方があると考えてきました。利他的遺伝子の存在が証明できれば、この窮地を脱する手掛かりが得られるかもしれません。
そしてそうした問題提起の行く手には、「人類の新しい世」での生き方に対する答えが求められているのです。

まとめ

「人新世」とは、人類の力の結果であると同時に、愚かしい無力さも表す。

世界でつくられる食料の三分の一が捨てられている

こうした地球全体の環境問題が、世界で注目を集めるようになったのは、五〇年前にローマクラブが『成長の限界』というレポートを発表してからだと思います。

当時は経済も人口も右肩上がりでしたが、このレポートは、そのまま成長が続けば地球は遠からず限界に達する、という警鐘を鳴らして世界に衝撃をもたらしました。

日本では、京セラの創業者・稲盛和夫さんが編集された『地球文明の危機』環境編・倫理編（東洋経済新報社）という本が出ています。

私も執筆者の一人として名を連ねていますが、環境問題の原因や解決策を、人間の考え方や倫理観にまで踏み込んで考察している点が秀逸だと思います。

環境問題を語るとき、「地球に優しい」という言葉がありますが、これはとても傲《ごう》慢《まん》な言葉だと私は思います。人間のほうが地球に守られて生きているわけですから、

「地球に優しい」ではなく「地球が優しい」のです。

けれどもその守護もそろそろ限界に近づいていて、人類がここで大きく発想を転換しなければ、「成長の限界」どころか「生存の限界」に直面するのではないかと私は思っています。これがまさに「人新世」が訴えかける問題です。

世界の人口も、地球が収容できる限界に近づいています。一人当たりの年間の穀物消費量から換算すると、世界中の人がアメリカ並みに贅沢《ぜいたく》な食生活をした場合、地球上に二七・五億人しか住めないそうです。イタリア的な食生活では五五億人、インドのような質素な食生活なら一一〇億人が住める計算になるようです。

一方で、東京の一日の食べ残しは五〇万人分の食料に相当し、日本全体の一年間の食べ残し一千万トンは、日本の一年間のコメの生産量と漁獲量の合計に匹敵するそうです。世界全体では年間、食料生産量の三分の一に当たる一三億トンが廃棄され、その四分の一の量があれば世界の飢餓人口を救えるそうですから、とてつもない無駄をしていることになります。

たとえば、原発に反対するのもいいのですが、反対するならエアコンの利用を多少なりとも控えるといった行動を伴わなければならないでしょう。自分たちはエアコンを使い放題なのに、「原発反対、反対！」といくら大声で叫んでも説得力はありません。

先ほど触れた稲盛さんはご自宅であまりエアコンを使われないので、冬にお孫さんが訪れると「北極みたいだ」と驚かれるそうです。

一人ひとりがそんなふうに自分の行動を律していかなければ、人類はいずれ滅んでしまうでしょう。『地球文明の危機』の巻頭に稲盛氏は次のように書かれています。

「私たちの船は大海に浮かぶ小さな小さな小舟だが、その小舟が警笛を鳴らせば、それに呼応して、あちこちで警笛を鳴らす小舟が出てきて、それが大きな渦になっていくことを期待する」

拙著も、文明の転換期に警笛を鳴らす小舟の一つでありたいと思っています。

まとめ

原発反対ならば、自らエアコンの利用を控えるようにすべき。言葉よりも、まず行動を起こすべき。

遺伝子を読んだ人間より、それを書いた何ものかこそ偉大

ヒトゲノムの解読は、二〇世紀の末にはほぼ完了しました。私は一九八三年に、ヒトの高血圧発症に深く関わる酵素・レニンの遺伝子暗号解読に幸運にも成功しましたが、そのときはヒトゲノムの全解読などは、夢のまた夢でありました。

私は幸いにも多くの人々の協力を得て、これまでにさまざまな生物から、一万六〇〇〇個を超える遺伝子を取り出し、解読することができました。

ひとくちに一万六〇〇〇個といっても、大変な数です。その一つひとつの遺伝子を読み取っていくわけですから、途方もない作業になりました。

遺伝子の解読には、非常に高い精度が要求されます。一万個のうち、たとえ一個でもミスをしたら、すべてがダメになってしまいます。だから同じところを繰り返し繰り返し読みます。単純な仕事で、だからこそ集中しなければなりません。

しかも研究には厳しい競争があります。誰よりも先に成果を挙《あ》げなくては、それまでの研究がフイになってしまいます。一番でなくては、記録に残らないのです。勝ったときはみんなで小躍りし、負けたときは一人で布団をかぶって泣いています。

研究の成果は論文として発表しますが、いい論文ができたときの感動はなんともいえません。書き上げた論文を、一晩中抱いて寝たこともあります。

科学者なら必ず読んでいる、イギリスの『ネイチャー』やアメリカの『サイエンス』といった研究雑誌に自分の論文が載ったときも、非常に感動します。

たくさんの論文の中から、著名な研究者が審査して、ふるいにかけられ残ったものだけが掲載され、さらにその論文は世界の学者の多くの論文に引用されるのです。

あるとき私は、解読した遺伝子暗号を眺めながら、「わがチームはよくやったなあ」と感慨に耽っておりましたが、あることに気づきました。それは読まれる前に書いてあったということです。当たり前ですが、私たち人間が読んだということは、読む前にすでに書いてあったということです。

これだけ精巧な生命の設計図を、いったい誰が、どのようにして書いたのか。

ヒトの遺伝子暗号は約三二億の文字からなっています。一ページ一〇〇〇字で、一〇〇〇ページの大百科事典が三二〇〇冊にもなるような膨大な情報量です。

それを人体にある三七兆個の細胞の核の中、一グラムの二〇〇〇億分の一という途方もなく狭い空間に書き込み、一刻の休みもなく働かせている。

これを書いたのは誰なのか。人間ではありません。では、自然が書いたとしか考えられない。しかし、太陽や山などの自然ではありません。そこで私は、人知を超える精巧を極めた仕組みを作った偉大な存在があるのではないか、という思いに至りました。

そして、私どもの生命の設計図を書き込み、私どもを生かしている大自然の偉大な存在を、私は「サムシング・グレート」(Something Great：偉大なる何ものか)と表現するようになったのです。「人新世」のいまこそ、サムシング・グレートの存在を広く世に訴えたいと感じています。

まとめ

一グラムの二〇〇〇億分の一のスペースに、大百科事典三二〇〇冊分の情報が書き込まれている。

争わない三七兆の細胞、争い続ける七七億の人間

遺伝子は世代を超えて情報を伝えるだけでなく、いますべての細胞の中で一刻の休みもなく、みごとに働いています。

しかしいくら自分の身体でも、この働きは自分の、人間の意思や力だけではとうてい不可能であり、人間わざではありません。

人知を超えたものと言えば、昔からよく神様や仏様が思い描かれました。

しかし、世の中のいわゆる科学的なものの見方を大事にする知識人は、神や仏は宗教上や空想上の存在であり、科学的な議論にはなじまないと思うことが多いようです。

ただ、このように神や仏もあるものかと思っている人々も、この人間わざでない「何か」の働きによって生かされていることは認めざるをえません。

そこで、私はこの偉大な働きを神や仏と呼ばずに、「サムシング・グレート」と呼

ぶことにしたのです。

この呼び方だと、神や仏に抵抗がある人たちでも、割にすんなりと「偉大な何か」を受け入れられるようです。

生きているということは、普段私たちが考えているよりもはるかに驚異的なことです。

たとえば、科学の分野では大腸菌が大活躍しています。大腸菌は動物の消化器官に生息する細菌ですが、遺伝子工学の実験に欠かせないもので、大腸菌のおかげでノーベル賞学者が何人出たか分かりません。

大腸菌は実に簡単な仕組みの単細胞生物ですが、世界の学者の全知識を結集しても、世界の富を集めて研究しても、大腸菌一つ人間の力では元からつくることはできません。元からではなく、コピーならいくらでも作製可能です。現代の科学ではヒトのインシュリンを大腸菌でつくることは可能ですが、元からはつくれないのです。

なぜつくれないのでしょうか。それは大腸菌が「生きている」基本的な仕組みについて、現代の生命科学はまだ手も足も出ないからです。

最新科学から見て、たとえ細胞一個でも「生きている」ということはすごいことです。ましてや人間が生きていることは、ただごとではないといえます。

というのは、一個でもすごいその細胞が何十兆も集まって、私たちの身体ができているからです。

大人一人の細胞は平均三七兆個といわれます。このような膨大な数の、肉眼では見えない小さな生命が、一人の体内に寄り集まっているのです。

一つひとつの細胞にはすべて命があります。この集合体が毎日、喧嘩もせずにみごとに生きているというのは奇跡的なことだと言えます。

それに比べ人間は、地球上に七七億人くらいしかいないのに、有史以来いつもどこかで戦争をしています。

なぜ細胞はその数千倍もの数が集まっているのに、争いもせずみごとに働いているのでしょう。細胞は自分自身を生かしながら臓器のために働き、臓器は個体のために働いています。みごとに助け合っているのです。

さらに驚くべきことは、この遺伝子の法則はあらゆる生物に共通しているということです。現在、地球上には二〇〇〇万種以上の生物がいると言われていますが、カビなどの微生物から人間まで生きとし生けるものは、すべて同じ遺伝子の暗号を使って生きています。

　ということは、あらゆる生物が同じ起源を持つことを示していると考えられます。興味深いことには、たとえ同じ親から生まれた兄弟姉妹でも、一卵性双生児の場合は別として、同じ組み合わせの遺伝情報は一つとしてありません。

　すなわち、どのような人でもこの広い宇宙において唯一無二の存在であるということなのです。ですから、小さな小さな基準で優劣や勝ち負けを評価したり善悪をジャッジしたりすることなど本当につまらないことです。私たちは誰でも三八億年の長きにわたってノーミスで生き残ってきた勝ち組です。

　これからの時代は、いのちの親である「サムシング・グレート」に感謝して生きるという考えが、世界のスタンダードになってくるでしょう。

まとめ

カビから人間まで、生物はすべて同じ暗号を使っている。

「コロナ」が教えてくれたこと 2

二年前から危惧していた新型ウイルスのパンデミック

新型コロナウイルス感染症（COVID-19）の出現がニュースで報じられる二か月前、雑誌『致知』の二〇一九年一一月号の連載記事で、私はこう書いていました。

「毒性の強い新型ウイルスがヒトからヒトへと感染し、近い将来に世界的大流行（パンデミック）が起こるのではないかと危惧《きぐ》されています」

まさにこの「危惧」どおりのことがその年の暮れから翌年、さらに二〇二一年の現在にかけて起きてしまいました。

中国で最初に感染が発見された後、あっという間に世界中に広がり、一年たってもその猛威は収まりません。二〇二一年四月現在、世界の感染者総数はついに一億人を超え、死者も二九〇万人を超えてしまいました。

現在、世界の人口は約七七億人と言われますから、世界中の老若男女の七七人に一人が感染し、大きな戦争の戦死者にも匹敵する人命が失われたのです。

　しかも、一四世紀のペストや一六世紀の天然痘はもちろんのこと、一九一八年のスペイン風邪によるパンデミックに比べても、明らかにそのときより医学が進み、医療環境が整ったはずのアメリカやヨーロッパの先進国においても、今回のパンデミックは制御不能に陥ってしまったのです。

　あらゆる価値に優先する生命の危機が最大の問題ですが、このパンデミックはさまざまな社会の仕組みに甚大な影響を及ぼしています。

　感染を広げないために人間の行動や接触が制限され、経済活動・社会活動から、人と人のコミュニケーションまで停滞の一途をたどり、事業の倒産や失業を続出させました。不安や恐怖が、精神的なダメージを募《つの》らせ、人びとの生きる力を奪っています。

　パンデミックとは、感染症の世界的流行であると同時に、経済・社会・政治・文明上の歴史的大事件なのです。

　人類の歴史の中で、現在ほど豊かな時代はなかったでしょう。医学も飛躍的に進歩して、難病はいくつも克服されてきました。そんな恵まれているはずの時代に、これほどの悲劇がなぜ起きるのか。単なる偶然とは思えない、何か起こるべくして起きているのではないかと感じている人は少なくないはずです。

「地球環境における人間の痕跡がいまや広範で激しくなったことで地球システムの機能に衝撃を与え、自然の他の巨大な力に匹敵するようになった」時代においては、まさに人類が、あたかも自然を支配する存在になったかのようです。

別の書籍では人新世については次のようにも書かれています。

「いまや地球は人類の惑星になった。森林が保存されるか破壊されるか、パンダが生き残るか絶滅するか、川がどこをどのように流れるか、さらには大気の温度さえ、私たちが決定権を握っている。今日の人類は地球上の大型動物のなかで最も数が多く、そのつぎに多いのが、私たちを手助けし、食糧源となるため交配を通じて創造された動物たちだ。陸地表面の五分の二は、私たちの食糧となる作物を栽培するために使われている」(『人類が変えた地球　新時代アントロポセンに生きる』ガイア・ヴィンス著、小坂恵理訳、化学同人)

しかし一方で、これも1章で引用したように、「人新世とは我々の力のしるしであるが、同時に我々の無力さのしるしでもある」との指摘もあり、この人間中心主義への警鐘が鳴らされているのです。

つまり、人類は地球システムの機能を狂わせ、自然の巨大な力に匹敵する存在になったかもしれませんが、いまやその報いを受ける時期になり、自らの弱点、無力さを露呈することになっているということでしょう。

すべてに勝ったつもりでいい気になっていた人類に、まだまだ勝てない存在はたくさんあるのだという一つの証拠が今回のコロナ禍であり、こうした「人新世」ならではの危機、いわば「新型危機」はまだまだ起こると言わざるをえません。

まとめ

進歩したつもり、自然に勝ったつもりの人間。人類の足もとをすくう、新型コロナパンデミック。

新型コロナを正しく知り、必要以上に恐れない

それにしてもなぜ、これだけ医学が進んだ現代の、しかも医療環境が整ったはずの先進国においてすら、これほどのパンデミックが起こったのでしょうか。

端的に言って、パンデミックが起こったのは、ウイルスがまさに「新型」であり、しかも感染力の強いものだったからです。「新型」というのは、文字どおりいままで人類が出会ったことがない未知のウイルスであることを意味しています。

いままで戦ったことのない敵に打ち勝つのが難しいのは、どんな戦いでも同じでしょう。未知の敵には、どんな作戦が有効か分かりません。運よく敵が弱い力しか持たなければ、こちらの被害は少ないでしょうが、未知である上に感染力が強いとなったら、感染の拡大を防ぐ手立てがなくて、パンデミックになってしまう可能性が高いのです。

どうも今回のウイルスは同じ「新型」でもたちの悪い敵のようです。「人新世」に乗じて襲ってきた危機の一種かもしれません。ただ、皆が「コロナに負けない」「コロナと戦う」と言いますが、果たしてウイルスとはどのような敵なのでしょうか。見えない敵に対する勝利とはどういうことなのでしょうか。

もともと人間の身体には、外から侵入してきた細菌やウイルス（抗原）に対して、「抗体」と呼ばれる物質をつくり出し、それを血液中に分泌して防御する働きがあります。抗体は、外部からの侵入者が身体の中で勝手に振る舞うことのないよう、捕えて排除する役目を担っています。

自然界には、タンパク質、多糖類、核酸などの高分子物質など、抗原となる物質が数多く存在していて、その種類は百万、あるいはそれ以上と言われています。驚くべきことに、私たちの身体はすべての侵入者（抗原）を見極め、それに見合った抗体を産生する能力を持っているのです。

たとえば、我々の身体に病原体（抗原）が侵入すると、免疫系はその病原体に特異的に結合できる抗体をつくり出し、ウイルスが増殖しないよう必死で防御します。

抗体は長期間体内に保持され、病気によっては数年から一生持続するものもあります。抗体が保持されている間に病原体が再び体内に侵入すると、抗体の産生が増加されて病原体の毒性が中和されます。

ですから抗体が効いているうちは、再びその病気にかかることはないと言えます。このように、外部からの侵入者に対して抗体の産生を促し、身体を守る機能を「免疫」と呼びます。「疫病」を「免じる」働きという意味です。

今回の「新型」ウイルスに対しては、多くの人がこの「抗体」を持っていなかった。つまり、外部から侵入するウイルスへの備えがなかったがために、体内の防御機能が働かなかったのです。

このように自然に「抗体」や「免疫」が作動しなかったとき、人為的に細菌やウイルスへの抵抗性を持たせるのが「ワクチン」です。ウイルスを無毒化、弱毒化したものを感染前に接種することにより、意図的に免疫を獲得させるのです。

従来のすでに知られたウイルスなら、そのほとんどはすでにワクチンが開発されています。要するに従来のワクチンで対応できないからこそ「新型」なのです。

そこで、「新型」に対応できるワクチンの開発に躍起にならざるをえないのですが、ワクチンの開発は一朝一夕に実現できるものではありません。

しかも、数々の治験を経て接種がはじまりましたが、ワクチンの安全性が完全に確認されているわけではありません。たとえばｍＲＮＡ型のワクチンはいままで人類において使用されたことがないので、情報開示が必要であるとともに、監視や強制があってはならないでしょう。

一方で、日本においてはこの感染症の死亡率は高いものではありません。あらゆる社会システムの機能とのバランスを慎重に見極めながら、近視眼的ではない対応が求められます。

まとめ

ｍＲＮＡ型ワクチンは、いままで人類に未使用。一年後、五年後の安全性をどう考えるか？

感染イコール発症ではない、ウイルスの巧妙な戦略

新型コロナウイルスに限らず、同じコロナウイルスのＳＡＲＳやＭＥＲＳには、ある共通点があります。それは、感染イコール発症ではないということです。

つまり、感染した一〇〇％の人間が発症するのではなく、感染しているけれど発症しない人が存在するのです。

ウイルスが、宿主を一〇〇％死亡させてしまうような戦略をとれば、自らも存続できません。ですから、発症しない、死なない人もいるようにして、より多くのヒトに感染を広げる戦略をとっている厄介な賢いウイルスだと言えるでしょう。

厄介なのはそれだけではありません。ウイルスには、その遺伝子構造の違いによってデオキシリボ核酸を持つＤＮＡウイルスと、リボ核酸を持つＲＮＡウイルスの二種類があります。

新型コロナウイルスは、この中でＲＮＡウイルスに属します。ＲＮＡウイルスは、ゲノムとしてリボ核酸を持つので、ＲＮＡウイルス自らの遺伝情報をＤＮＡではなくＲＮＡとして書き込んでいます。

ＤＮＡウイルスよりはるかに分裂が速く、ＤＮＡウイルスよりも安定性が弱く変異も起こしやすいのです。つまり、新たな宿主に感染するたびに変異する可能性が高いと言えます。

武漢で発生したウイルスとヨーロッパで発生しているウイルスには、ゲノムの変異が起こっていることが確認されています。その後も、変異は報告されているとおり、より多くのヒトに感染が起これば起こるほど増えます。その変異が弱毒化の方向なのか、強毒化の方向なのか、ウイルスの戦略は不明のままです。

一方、このウイルスは肺の肺胞細胞に感染します。肺は呼吸という生命活動には欠かせない臓器です。肺胞細胞は、タバコや環境汚染物質によってもじわじわと壊されてしまいます。

死んだ肺胞細胞は復活しません。私たちは自ら、この肺に負担をかけるべく地球や身体を汚してきてしまったのではないでしょうか？　実は本書で繰り返している人類の新しい世、「人新世」の問題提起に通じるのです。

感染症対策として、私たち人類は盾（ワクチン）と矛（抗生剤・抗ウイルス剤）で闘ってきました。もちろん、重症化しやすい高齢者や基礎疾患がある方にはワクチンが必要ですし、重症化した患者には抗ウイルス剤が必要です。

しかし、ここで考えてみていただきたいのです。

私たち人間がこの地球で存続するために地球環境を綺麗にすることが、自らの肺胞細胞を生きやすくし、結果的に肺を守ることに繋がることを。そして免疫力を強化することで、自ら治癒《ちゆ》できる可能性を広げることを。

もしかしたらこの新型コロナウイルスは、より強い人類への新たな進化を促すものかもしれません。

まとめ

地球環境を綺麗にすることで、あなたの肺と免疫力は守られる。

コロナ禍は私たちに、地球規模の連携を促している

地球は、ヒトのためにのみ存在しているのではありません。これまで、ヒトは地球がヒトのためにあるものと考え、好き勝手に蹂躙《じゅうりん》してきました。その結果、突入してしまった生態系の新たなステージが「人新世」であるとも言えます。

私にはコロナ禍は、地球や自然、「サムシング・グレート」が、ヒトのためにのみ存在しているのではない、というメッセージに思えて仕方がないのです。

私なりに思うことは、未知の感染症の伝播《でんぱ》という事態は、国や民族を超えた人類全体の大きな節目になる出来事であり、地球規模の協力体制が整わなければ対応できないということです。

第一に、国際的な協力体制を構築することです。情報の収集と分析、その成果を各国へ提供することはもちろん、医療資源を必要なところに届けること、ワクチン生産

設備の整備、抗ウイルス薬の開発と流通ルートの確保などです。

これを実現するには、グローバルな連携が不可欠となりますから、地球規模で助け合うことこそ、「サムシング・グレート」が人類に促していることかもしれません。

日本には古来、利他の精神と和の文化があります。戦後、消えかけていたけれど、東日本大震災時の日本人の姿に見られたように、種は残っています。

その種のスイッチを入れて日本の精神文化を取り戻し、それを世界に輸出するときが来ているのです。

そのことをしっかり受け止めて、この国難を人々の意識を変える契機に変えなければ、震災で亡くなられた方や被害に遭われた方たちに申し訳ないと思うのです。

前出のジャック・アタリは、こうした世界的な危機状況を受け、改めて利他主義への転換を広く呼び掛けています。

彼は、「深刻な危機に直面したいまこそ『他者のために生きる』という人間の本質に立ち返らねばならない。協力は競争よりも価値があり、人類は一つであることを理解すべきだ。利他主義という理想への転換こそが人類サバイバルのカギである」と言います。

そして、この危機は新しい世界がつくられていく変革のチャンスであるというのです。まことに私もそのように感じています。

「ピンチはチャンスだ」と、私は何十年も言い続けてきましたが、人類が進化するために、このピンチは最大のチャンスであると思います。それは何よりも一人ひとりの意識を変えることによって可能になると強く信じています。

従来のような、ただヒトの欲望を満足させ、他人よりも快適な生活を追求するのではなく、「精神的な満足」を与える商品やサービスの開発や、自然と調和する経済活動の可能性を考えるべきでしょう。

まとめ

コロナ禍は大きな危機だが、私たちが再び協力し合うチャンス。

コロナ禍のあとにも人類の変革を迫る脅威は続く

アタリは、かつてその著書の中で、混乱した世の中に「トランスヒューマン」という人類全体のことを考えられる超エリートが出てくることを期待していました。

しかし、いま私は一人のスーパーマンが出てきて世界を救ってくれることを期待していません。そうではなくて、人類一人ひとりの意識が変わり、それが大きなうねりのようになったとき、世界が変わるのではないかと思うのです。

では、私たちの意識をどのように変えればいいのでしょうか。

それは、アタリが言う利他主義への転換です。

アタリは、共感や利他主義が人類を救うカギになると言います。

「利他主義は合理的利己主義にほかなりません。自らが感染の脅威にさらされないためには他人の感染を確実に防ぐ必要があるからです。利他的であることは、ひいては自分の利益となるのです。また、他の国々が感染していないことも自国の利益になります」と述べています。

アタリは、利他主義とは最も合理的で自己中心的な行動であると言うのです。

かつてチベット仏教の指導者ダライ・ラマ法王も、「他の人を思いやるということが自分の幸せをもたらすと理解して自分のことをケアしていくというのが、賢い者の利己主義」だと言いました。

現在は各国政府が自国への対応で手いっぱいの感があります。しかし、国家やイデオロギーを超えて、すべての国が協力し合うことができれば、必ずこの危機を乗り越えられるのは間違いないのです。

そして私は、人類は必ず互いに助け合う道を選ぶと信じています。

しかし、人類が新型コロナウイルス感染症を何とか克服したとしても、いままでの私たちのあり方を一八〇度変えない限りこれで終わりということにはなりません。再び未知なる脅威が人類にメッセージを届けてくるでしょう。

いま私たちにできることは、まずは自分自身の免疫力を上げることです。そのためにも心配や恐怖という感情に支配されてしまわないことが大切です。

ネガティブな感情は、私たちの免疫力を著しく損ないます。これには科学的な証拠があります。

そして周りの人々と励まし合い、一番困っている人たちを支援することです。「情けは人のためならず」という言葉があります。人を助けるということは我が身を助けるということという意味です。

この世の生きとし生けるものは、命の連鎖という守護のもとに生かされています。そのひと繋がりの輪の中に人間もいるのです。

いま人類はかつてない変革のときにあるといえます。この時代に命を得て生かされている私たちは幸いであることを忘れないようにしたいと思うのです。

まとめ

利他主義こそ、自分の利益を最大化する行動。

パンデミックは人間が自然や動物を軽視したことが原因

ヒトは、進化の過程において、お互いの状況や感情を繊細かつ的確に推測する能力を獲得し、言語によって意図を通わせることができるようになりました。

著しく発達したヒトの脳の働きは、長い集団生活の中で非常に高い社会性を生み、独特な文化をつくり上げました。困っている人に思わず手を差し伸べるような、無意識の利他行動は、他者への共感、思いやり、協調、助け合いがヒトの本能として進化したことを示しています。

人類がここまで進化してきた原動力には、こうした助け合いのメカニズムが働いています。それを無視すると人類は滅びてしまいます。現在の環境問題も、そうした視点で考える必要があります。

たとえば、福島の原発事故では人間だけでなく、あらゆる生物が被災しています。

人間や人間の暮らす土地だけが汚染されたのではありません。世界的に有名なイギリスの霊長類学者、ジェーン・グドール博士は、「新型コロナウイルスのパンデミックは、人間が自然を無視し動物を軽視したことに原因がある」と指摘しています。

そして、「私たちは自然界の一部であり、自然界に依存しており、それを破壊することは子どもたちから未来を奪うことに他ならない」と語っています。（「コロナパンデミックの原因は『動物の軽視』」ジェーン・グドール博士、AFP＝フランス通信社、二〇二〇年四月一二日配信）

こうした視点がないと環境問題は解決しません。人類が助け合わなくてはならないことはもちろんですが、この地球には他の生物も生存しているのです。そのおかげで私たちは生きているのだと謙虚にならなくてはいけません。

後に述べる利己的遺伝子という言葉の影響なのか、近代社会は「個」というものを、一番大切なものに祭り上げてしまいました。しかし、本来、他者や周囲との関係がない個というものはあり得ません。

自然界を注意深く観察すれば分かることですが、物事はペアで存在しています。男と女、陽と陰、十と一、さらにＤＮＡの二重螺旋構造もペアという見方ができます。

個性と並んで重要視されているのが独創性です。科学でも独創性のある研究が重視されますが、本来、純粋な意味での独創性というものはないのかもしれません。たとえば、科学において法則を発見することは高く評価されますが、それはもともと自然界にあったものです。科学はその法則を見つけたにすぎません。

この地球の生き物は、絶妙にバランスをとって生きています。個は全体の中での役割を果たすための個であり、個が集まって全体をつくり、全体は個を支えているともいえます。どんな微生物であっても、もちろんこの新型コロナウイルスも、間違いなく人間と繋がっているのです。そのバランスを狂わせたのは人間です。

であるならば、いまこそ人は地球生命全体の中での自らの役割を考え、天の理《ことわり》に適《かな》う生き方をすべきではないでしょうか。

まとめ

優れた科学法則の発見も、もともと自然界にあったものを見つけたにすぎない。

「辛い状況」を乗り切るための遺伝子の働き

近年、遺伝子に対する見方や考え方も、大きく変わってきました。最近の研究によれば、遺伝子はあくまでも設計図であり、そこに生命現象のすべてが書き込まれているとは断言できないといいます。

また、これまでの常識では、いったん心臓なら心臓、肝臓なら肝臓になったら、その細胞は二度と元に戻らないと思われていました。しかし、iPS細胞の研究でノーベル賞を受賞した京都大学の山中伸弥教授らによって、それを元の状態にリセットできることが確かめられました。

これまでは、すべての情報が固定的に遺伝子に書き込まれていると思われていましたが、どうもそうではないようです。遺伝子というものは、極めて柔軟でダイナミックに働き、その働きは環境や状況に応じて変化するのです。

そうした考え方を象徴するのが、「遺伝子にはスイッチがあり、環境や状況に応じてONとOFFを繰り返している」というものです。

しかも興味深いことに、そのスイッチのONやOFFは、私たちの心の持ちようや生活態度によっても、変わり得ることが次第に分かってきました。

これは言い換えれば、遺伝子は外からの刺激である「環境」によってコントロールされているということでもあります。遺伝子は、情報そのものを自ら書き換えることはできませんが、外からの刺激によってスイッチをONにしたりOFFにしたりすることで、生体をコントロールしているということです。

細胞生物学者ブルース・リプトンは、「遺伝子は単なる生物の設計図にすぎず、意識や環境が細胞をコントロールし、遺伝子の振る舞いを変える」と言います。

そして、「一個の細胞のあり方が環境のいかんによって左右されるのであれば、何十兆個もの細胞集団である人間もそれと同じはず。細胞の一つの状態を決めるのが遺伝子ではないように、私たちの人生も遺伝子が決めるのではない」と述べています。

その環境には、物理的なものや化学的なものだけでなく、思い、喜び、笑い、悲しみ、言葉、習慣など、精神的なものや感情的なもの、文化的なものもすべて含まれます。

それによっていまの自分にとってONにしたい遺伝子、OFFにしたい遺伝子があるでしょう。つまり、理想的な自分であるための秘訣は、できるだけ生き生きとした前向きな心の状態、「プラス思考」で生きることです。

もちろん、どうしても辛く苦しい状況でプラス思考ができないこともあるでしょう。しかし、そのようなときには、いったんその状況を客観的に見てみる、別の角度から見てみることです。

物事には何事にも二面性があります。人間の性格でも、内向的で消極的と言われるとマイナスに見えますが、見方を変えると内省的で慎重というプラスな面が見えてきます。どんな出来事も「よい面」と「悪い面」の二つの解釈が可能なのです。

たとえば辛い局面の一つ、病気をした場合はどうでしょう。

たしかに仕事ができなくなったり、経済的な負担が増えたりとマイナス部分ばかりを考えてしまいます。しかし、病気をした経験によって自分にとって本当に大事な人は誰なのかに気づけたり、仕事から離れることで、これまで考えもしなかったアイデアが浮かんできたりするなど、プラスの面も十分にあるのです。

こう考えれば、自分の身に起きることは「すべてプラス」という捉え方をすることができ、よい遺伝子のスイッチをONにすることができるのです。

そして、サスティナブル（持続可能）ということをあらゆる活動の指針にするのも大切なことではないでしょうか。そうした新しい人間の営み、新しい人間のあり方は、地球を蘇生させる大きな原動力となるはずだと私は確信しています。

まとめ

辛い状況を変えるには、よい遺伝子のスイッチをONにし、「プラス思考」で考える。

「人類ファースト」から「地球ファースト」へ

コロナ禍における状況が、人間のものの見方を変え、潜在能力を目覚めさせるということを、もう少し深く考えてみましょう。

そうした状況が続くとき、人間の意識の向かう先を見ると、個々人の生活の中では、長引く自粛生活によって、いままで忙しく外側にばかり向いていた意識が、家族や自分の内面へと向かった人も多いのではないでしょうか。

人はうまくいっているときは何も考えず、同じことを繰り返してしまいがちです。ところが、否応なく立ち止まらされてしまったことで、本当に自分にとって大切なこととは何かを考え、また要らないものをたくさん抱え込んでいたことに気づいた方もいるはずです。

また、非常時には一人ひとりが自らその状況に応じて、さまざまな判断と選択をしていくほかはないと思います。誰かに頼ったり権威あるものをやみくもに信じたりすることなく、自分自身で見分ける目を持つことです。

まずは深呼吸をして、広い視野で物事を見ることをお勧めします。たしかにコロナ禍はネガティブな出来事です。しかし、そのことによって人々が自分で考え、動き、新たな繋がりができ、助け合っているというポジティブな面もあります。

また、本当に役立つことを見分け、選択する力が養われているとも言えます。

ネガティブな事がらに憤《いきどお》りを覚えたとしても、その真偽をよく調べてみたり、地球や歴史を俯瞰《ふかん》すれば、また違う景色が見えるものです。

特に、私たちは、人間だけではなく地球上の生き物全体のことに思いを馳せてみるべきではないでしょうか。「人類ファースト」の思い上がりを返上し、生態系全体のことを考えてみるチャンスでもあります。

ヒトを含め、いまこの地球上に生きるすべての生物は、生命の誕生以来、幾多の苛酷な試練を切り抜けて生き残ってきたものの子孫です。

自分の子孫を後世に残し、自分の種の生存を最優先させることは、生き抜くために何よりも必要であり、ある程度利己的であることは生きる術《すべ》として遺伝子に刻まれたものだと思います。

その一方で、群れて暮らす生き物たちは集団で生き残るために、他者を思いやる利他的な遺伝子を獲得したのだと思います。

利他的であることと利己的であることは、相反しているように見えます。しかし、本来表裏一体のものであり、種の保存と個体の生存にはその両方が必要なのです。

国際関係でも、利己的な自国第一主義で、「自国ファースト」に走ると、結局は世界の中で孤立して立ち行かなくなります。

むしろ世界的に若い世代の人たち、たとえば国連でスピーチをしたグレタ・トゥーンベリさんのような人たちが、グローバルな視点で地球のことや環境のことを考えて行動し、発信する姿に希望を感じます。

まとめ

真に生物全体、地球全体を考えて発言しているのは、グレタさんのような若い世代だ。

コロナ禍で際立った「休むに休めない仕事」への献身

進化生物学の観点から人間や生物の行動を研究している人類学者の長谷川眞理子氏は、「ヒトは本来助け合う生きものとして進化してきた」と言います。ヒトの身体が進化によって適応的につくられたように、ヒトのこころもまた進化しました。

この考え方は、コンピュータのシミュレーションを用いたゲームを行うことで検証されました。一回でゲームが終わる場合、協力行動はなかなか生まれません。しかし、同じ個体が繰り返しゲームを行う場合、状況は変わってきます。

他者を裏切ってでも自分の利益だけを追求するものは最初は繁栄しますが、そのうちそうした考え方をするもの同士がだまし合って自滅するのです。

一方、もらって、お返しをして、という集団は、繰り返しゲームを行うことで双方の利益がプラスになり、結果的に繁栄します。

つまり、長期的な付き合いが続くケースにおいてはお互いの協力行動も進化することが、シミュレーション研究から明らかにされたのです。そして、ヒトほど他者と協調し、協力し、援助しあう生物は他にはいません。

では、なぜヒトにおいてこれほど利他的な行動が進化したのでしょう。それは、ヒトに「こころ」があったからだと長谷川氏は言います。

私たちは人から感謝されたとき、より強く幸せを感じます。これは利他のほうが利己よりも進化的に新しく、ヒトにおいて著しく発達したこころの働きが、より強く作用しているからだと考えられています。

そうであるならば、人間は利他性を強く意識することで、より利他的な生き方へと進化することができるのではないでしょうか。もしかすると、この利他性こそが生命の重要な本質かもしれません。

利他とは必ずしも自分が犠牲になることではありません。自分を生かすことに繋がることです。人と共に喜び、人と共に悲しむことで、その人の人生はより豊かなものになっていきます。

人間が持つ高度な社会性の基盤が利他性にあるならば、私たちは意識的に助け合うこころを発揮していくべきです。

まさにこのことが、人類を「人新世」の危機から救うことに繋がると思います。

コロナ禍の危機においては、「エッセンシャルワーカー」と呼ばれる医療・介護、小売り、清掃、郵便・宅配、保育など、人間が社会生活を維持する上で必要不可欠（エッセンシャル）な仕事に従事する人たちの献身が際立ちました。

これらの仕事は、感染の危険の中でも、人々の生命と生活を守るために欠かせない仕事であり、一日の休みも許されません。このような利他を体現した人々の働きのおかげで、私たちは生き延びることができているのです。心から最大の敬意と感謝を贈りたいと思います。

まとめ

他者の生命と、生活を守るために闘う人々の尊さに気づかされる。

3

科学者は間違っていなかったか

コロナ禍も東日本大震災も「想定外」では済まされない

この原稿を書いている二〇二一年は、東日本大震災から十年の節目ですが、あの記憶と記録はもちろん風化していませんし、風化させてはならないものです。

大地震と大津波、さらには原発での爆発事故……。その被害はかつてない広範囲と長期間に及び、犠牲者の数は、令和三年三月一〇日現在、警察庁発表のデータで、死者が一万五八九九人、行方不明者は二五二五人に上っています。

コロナ禍に対するエビデンスに基づく対応と情報発信と同様に、この原発事故を含めた大震災に対して、科学者の責任は大きいと私は考えています。

どうしてこのような大災害が起こったのか。未然に防ぐことはできなかったのか。被害をもっと少なく抑えることはできなかったのか。特に人災といわれる原発事故については、科学者の責任は重大です。

このような大事故が起こればどんなことになるか、科学者も技術者も分かっていたはずなのに、なぜ防げなかったのでしょうか。

私は大きく、二つのことを原因として挙げたいと思っています。

一つ目は、日本における科学の立ち位置の問題です。科学と技術は別物です。にも拘《かかわ》らず科学技術という言い方をされ、科学と技術は一緒くたに扱われています。そこに大きな病巣があります。

二つ目は科学者の意識の問題です。「驕《おご》りはなかったのだろうか」「油断はなかったのだろうか」という点です。この災害は、「科学には何ができて、何ができないのか」「科学者にはどんな責任があり、どんな使命があるのだろうか」などということを考える非常に大きな契機になりました。

震災の後、私は日本地震学会の元会長である石田瑞穂先生と対談しました。そのとき先生が言われたことは、今回の地震は全く予知できなかったということでした。「自分たちは五〇年間何をやっていたんだろう」と、悔しそうに心境を吐露されていました。予知ができるに越したことはありませんが、予知はできなくても被害を最小限に防ぐ努力がなされていたのかとなると、問題は別です。

同じような規模の津波は、江戸時代にもありました。ということは、予知ができなくても起こる可能性が十二分にあることは分かっていたということです。

となれば、科学者は地震のメカニズムや津波の規模の予測、より正確な予知へのたゆまぬ研究に集中しつつ、さらにしなければならないことがありました。

それは、他分野の専門家と協力し、大地震を想定して「どんな防災の設備をつくればいいのか」「避難の手順はどうすべきか」ということまで考えぬくことでした。

原発事故でも同じです。原子核物理学が専門で元東大総長である有馬朗人先生は、東日本大震災を予知し防げなかったことを「一生の不覚」とおっしゃいました。

事故を「想定外」というひと言で片づけてしまってはいけません。何しろ二万人近くの人々が犠牲となっただけでなく、家族や家を失い、仕事を失い、故郷を追われ、生きる気力をなくしてしまった人が、その何十倍もおられるのです。

新型コロナウイルス感染症に関しても、「想定外」の発生で仕方ないと片づけるのではなく、不測の事態に備えて少しでも「想定内」にする努力が必要でした。

もちろん、すべてが科学者の責任であるなどと言うつもりはありませんが、ここは謙虚に反省し尊い犠牲に報いるためにも、今後、同じような悲劇が起きないような研究をしていかなければなりません。

それが、「人新世」における、科学者や技術者の使命であり責任です。そして、政治や教育、経済活動といった分野にわたって、科学がその基盤となるような仕組みをつくるべきではないでしょうか。

科学者が、いまのように専門分野だけを研究することをもって良しとしていては、せっかくの研究成果が人類の知恵や共通財産になりません。

もしいまある最先端の科学技術を地球規模で、あらゆる国や地域において活用できれば、文明崩壊の危機も乗り切れるはずです。

まとめ

予知や予測に加えて、日々備える努力が必要。

一見役に立たない基礎科学が、じつは一番役に立つ

いまでは科学者の領域である宇宙の運行も人体の精密な働きも、中世ヨーロッパのキリスト教社会では、すべて神がコントロールしていると考えられてきました。科学者はそこに法則性を見つけ、神の威光を高めていこうと考えました。つまり、科学は神を賞賛する手段として始まりました。近代科学はここに端を発します。

「What's new 〜?（何か新しい発見は?）」「知らないことを知りたい」「法則を見つけたい」「自然の不思議を解明したい」ということが、科学者の科学をする第一のモチベーションでした。

しかし、世間はそうは見てくれません。時代が下るにつれ、便利さや金儲けに直結する研究を、科学に求めるようになったのです。端的に言えば、人類の「人新世」は「役に立つ科学」を求めすぎ、またその「役に立つ科学」が地球に負担を強いる時代

を招いたとも言えるでしょう。

宇宙から飛んでくるニュートリノという素粒子を世界で初めて捉えて、ノーベル物理学賞を受賞した小柴昌俊先生は、あるときこう聞かれたと言います。

「ニュートリノの研究は世の中にどう役立つのですか？」

小柴先生は答えました。「何も役に立ちません」

世の中の役に立たないことをやって、どうしてノーベル賞がとれるのか、まして税金を使っての研究です。文部科学省のお偉いさんたちも、さすがにこの発言はまずいと考え、「ああいう言い方をするのはやめてほしい」と小柴先生に頼みました。

しかし、小柴先生のおっしゃっていることは科学者として間違っていません。世の中の役に立つことだけを探究するのが科学者の仕事ではないからです。

科学者はまず生命の謎、宇宙の神秘を解き明かすことが仕事で、ニュートリノの研究もその重要なテーマなのです。そうはいっても、なかなか理解をしてもらえません。そこで、小柴先生は言い方を変えました。

「ニュートリノの研究は世の中の役に立っています。なぜなら、ニュートリノがないと人間が誕生しないからです」

これは素晴らしい答えです。あっぱれ小柴先生、科学者の鑑《かがみ》です。生活にどう役立つのかという前提だけで研究するのは、科学者の最重要テーマではありません。

慶應義塾の塾長を務めた経済学者・小泉信三氏が、こんなことを書いています。

「世間ではすぐ役に立つ人間を育てよと言うが、すぐ役に立つ人間はすぐ役に立たなくなる人間だ、とある工学博士が言った。これと同じで、すぐ役に立つ本はすぐ役に立たなくなる本である」（岩波新書『読書論』より要約）

この「本」は知識や研究にも置き換えられるでしょう。目先の役に立つことだけを重視する研究は、さらに重要な根本的な問題には対処できなくなるということです。

むしろ、すぐには世の中の役に立たないように見える基礎科学の研究のほうこそ、人間にとっても生物界や地球にとっても、将来的に大切な意味を持つ成果が期待されると思うのです。

言い換えれば、ここには「科学」と「技術」の違いという問題が横たわっているように思うのです。この二つを分離しないと、ことはなかなか理解しにくいかもしれません。

古くは異端という烙印《らくいん》を押されながらも、地動説を唱え続けたガレリオを挙げるまでもなく、「科学」の本質は命や宇宙の真理に一歩でも近づこうとするものです。その過程で万有引力の法則が見つかったり、相対性理論が考え出されたりしました。

それに対して、「技術」とは、「科学」で見つかった法則や理論を実生活に役立てるべく実用化するものです。ですから、「科学」はあくまでも基礎研究であり、「技術」は実用性を求めるものなのです。

「科学」と「技術」には密接な繋がりがありますが、決して同じではないということです。いまの世の中では、「科学技術」という言い方があるように、この両者が一緒にされてしまい、実用性のある「技術」だけが重視される傾向にあるのです。

人間が欲望のままに、科学的な成果を使うと、必ずどこかで破綻が起きると私には思えてなりません。節度が不可欠だと思うのです。

まとめ

すぐに役立つ知識や技術は、すぐに役立たなくなる。

実用的な科学や技術に偏ると人類の将来が危うくなる

前項で述べたように「人新世」は「役に立つ科学」を求めますが、この科学と技術を一緒くたにする弊害は、さまざまなところで出てきています。

私は生命科学の研究を五〇年間やっています。命の本質を求めて遺伝子を解読するところまで漕ぎ着けました。その過程でたくさんの発見がありました。

それが人類のモラルという視点からの検証を経ずに、すぐに技術と結びついてしまうシーンもまた数多く見てきました。これは人類の将来を危うくします。

化学・工学の発達がより強力な兵器の開発に繋がったのはもちろん、科学の発見が人間の欲望を満たすために利用されてしまうことも少なくありませんでした。

原子力に関しても同じことが言えます。たしかに、科学として原子力についての研究をすることはとても有意義です。しかし、しっかりとした検証もせずに、分かったことをすぐに技術に繋げて、実用化していいものでしょうか。

そう問う理由は、それが原子爆弾を、さらには原子力発電を誕生させたからです。そして原爆投下の悲劇を招き、度重なる原発事故へと繋がってしまいました。こんなことが起こる前に、「科学」は基礎研究の立場から、理論的に起こりうるあらゆる問題を想定して、「技術」が暴走しないよう、どこかでブレーキを掛ける必要があったでしょう。

また、「科学」がもっと基礎研究を深めて、起こりうる事故の可能性にまで探求が及んでいれば、事故を未然に防ぎ、あるいは事故が起きても被害が出ないような対策を、「技術」と協力して確立することもできたはずです。

科学と技術を分けるべきだということは、地球物理学者の松井孝典先生が盛んに主張しておられます。両者を一緒にして考えると、実用性のある技術の比重が重くなる分、基礎研究の科学は軽視される傾向が強くなります。経済面から見ても、役に立つかどうか分からない科学よりも出口の見える技術研究のほうに予算が下りるのです。

そのために、基礎研究をやっている研究者は、予算をもらうために出口の見える研究であることを無理に強調することもあります。しかし、それでは科学の基礎研究は育っていきません。これらは、国を預かる政治家にも大きな責任があります。科学研究の成果やその実用化が、本当に国や国民の望ましい繁栄や、平和で安全な生活に寄与したでしょうか。そのことをきちんと検証した上で、政策を進めなければならなかったのに、残念ながら実態はそうなっていないようです。

日本では基礎研究を担う大学に行き渡る研究費が、二〇一六年にドイツに抜かれて世界四位に落ち、基礎科学の研究者に育つ修士号や博士号取得者数も、人口あたりの数値が主要国で唯一減少するというありさまです。

それでは、どうして日本は技術偏重の国になってしまったのでしょうか。

おそらく、西洋の科学と技術を取り入れた明治期、日本の最大のテーマが「富国強兵」にあったという背景があるからでしょう。

富国強兵のために、理論より実践的な技術が求められました。優れた武器を開発すること、兵士を治療することなど、科学者も医師も実践に役立つ技術を求められてきたのです。技術偏重の傾向はそのことの名残です。

京大の山中伸弥教授が世界に先駆けて開発したｉＰＳ細胞の研究でも、実用化以前に、どのようにして個体は発生するのかという科学者の疑問がありました。

科学者はその疑問に純粋に向き合い、生命の謎に一歩でも近づきたいという夢や期待感で、寝食を忘れて研究に没頭してきたのです。そして、そうした真実の探求こそが、科学者に求められる役割のはずです。

しかし世間では、そういう科学の意義よりも、iPS細胞はどんな臓器や組織にもなれる万能細胞で、難病治療にも繋がるといった技術的なことのほうが分かりやすく、またそのことばかりが強調されます。

結果として、その研究が難病治療に繋がればとても嬉しいことですが、最初からその結果に囚われていたら、科学の本質を見誤り、パラダイムを変えるような成果も得られないでしょう。

まとめ

富国強兵や難病治療といった目的に囚われると、科学の根本・真実の探求という科学者のロマンを見失いがち。

「分かる」ためにとことん「分ける」ことの限界

著しい進歩を遂げた現代の科学を支えてきたものは、ルネサンスに源流を持つ合理的な考え方でした。

その考え方によれば、物事の本質が「分かる」ためには、まず、物事を「分ける」ことが必要になります。物事を分けて考えるので、人間と自然は相対立する存在として捉えられます。人間は、自分たちが住みやすいように自然をつくり変え、制御し、支配していくものだと考えられたのです。

ちなみに「人新世」の基本概念の一つは、人類による自然支配です。元をたどれば、じつはヨーロッパの自然はかなり厳しく、大部分が高緯度地方に属し、太陽光は極めて弱いという事情があります。ですから、こうした風土にあって、西洋の人々が、自然とは人間と対立するものだと考えるのも無理はありません。

厳しい砂漠の風土に生まれたキリスト教が西欧社会に広まり、そこに住む人々のものの見方に大きな影響を与えたのも、その風土を抜きにしては考えられないと私は思っています。

このように、自然と人間を分けるという考え方は、その後の西欧社会のものの見方や考え方を特徴づけ、ルネサンスを経て一挙に花開きました。いわゆる近代社会の幕開けです。それは、個人の尊厳や理性を何よりも重視し、物事をあくまで合理的に考えようとする社会でした。

科学の世界では、ニュートンらによって古典力学の体系が形づくられました。これは、やはり物事を細かく分けていき、その法則を知ろうとする立場です。細かく分けていって、これ以上分けられない物質を突き止めれば、その物質の性質・特性・法則を知ることができ、さらに全体も分かると考えたのです。

また、その時代の科学者は、「生きているものと、生きていないものでは明らかに違っている。それを科学的に証明できないものか」と考えていました。

石ころみたいなものと生物は、何か基本的に違うはずだ、その違いを理解したいと考え、その手段として「分析する」ことを始めたのです。以来、現在に至るまで、生体を細かく分け、その中から不思議なものを取り出し、正体を明らかにするという方法をずっととってきました。

その中で、「酵素」というものを見出したのです。これこそ、生命のあるものとないものとを分ける大切なものだと生物学者たちは考えました。

酵素は、身体の中の化学反応を自由にコントロールします。酵素のおかげで、一億倍ぐらいの速さで反応が進みます。一億倍で進むということは、いわば不可能を可能にしているようなもので、酵素は生命の素ではないかと考えられました。

この酵素や遺伝子の研究に、生物を細かく分け、解析する方法が大きな力を発揮しました。その方法を進めていけば生命の謎は解けると多くの科学者は考えました。そして、科学者はますます自信を深め、神のことなど忘れてしまうようになりました。

ところが、酵素を詳しく分析していくと、アミノ酸が並んだ複雑な物質であることが分かり、生命の素ではないことが分かりました。

実際、研究の現場では、何か分からないことがあれば、まず対象を細かく分けてみます。分けていって法則性を突き止め、そこで、もう一度全体を組み立て直そうとするのです。

しかし、相手が生物の場合、いったん分子のレベルまでバラバラにして分析しても、そのものをまた組み立て直すところまではできません。細胞一つでできている大腸菌ですら、その材料である物質をいくら集めても、元の生きた細胞にはならないのです。ここに、現在の生物化学や分子生物学の限界があります。

私たちは、生き物の材料については、酵素や遺伝子のような複雑なものまでよく理解できるようになりました。しかし、生き物にとって最も肝心な「生きているとはどういうことか」という原理については、自然科学的には「何も」といっていいほど明らかにはなっていないのです。

まとめ

生物を分子レベルにまでとことん細かく分析しても、「生きているとはどういうことか」は全く分からない。

免疫研究は私たちの「からだ」の仕組みを知る作業

私たちはすぐには役に立たない科学、いわゆる基礎研究の大切さにもっと気づくべきです。

二〇一六年にノーベル生理学・医学賞を受賞された大隅良典氏も、受賞の記者会見で、オートファジーもがんの治療に繋がることを期待して始めたものではない、だからこそ、基礎科学の重要性をもう一度強調しておきたいとおっしゃっていました。

そうした基礎研究によって明かされる自然界の真実を知ることで、私たちはいままでの生き方を考え直したり、世界観や生命観を深めたりすることができます。

現在、関心の的になっている「免疫」の仕組みも、長年にわたる基礎研究の積み重ねによって解明されてきました。

自然界には、多くの微生物やウイルス、有害物質などの病原体が存在します。私たちの身体はそのような外敵が体内に侵入するのを防ぎ、侵入した病原体を排除する絶妙な生体防御という働きを持っているのです。

生体防御には、物理的・化学的防御、自然免疫、獲得免疫の三つの段階があります。最初の段階の物理的・化学的防御は、その名のとおり、皮膚や粘膜、酸性の汗・皮脂・胃酸、抗菌作用をもつ涙や唾液、腸内フローラによるものです。

二段階目の自然免疫は、私たちが生まれながらに持っている免疫の仕組みです。一言で言えば病原体を食べて殺すという防ぎ方で、ある種の白血球とNK細胞（ナチュラルキラー細胞）と呼ばれるリンパ球がその働きに関与しています。

病原体が傷口から体内に侵入したとき、最初に白血球が病原体を感知し、食作用で病原体を白血球内に取り込んで分解、情報伝達物質を分泌して他の白血球やNK細胞を集めます。集められた細胞は食作用で異物を分解し自らは死んでしまって、膿となります。これを化膿といいます。NK細胞は異物に感染した細胞を攻撃し、破壊します。このような反応が起きる部位は赤く腫れ、いわゆる炎症を起こします。

三段階目の獲得免疫は、生まれてから本格的に発動する仕組みです。

この働きは病原体を記憶することで「同じ病気に二度かからない仕組み」です。主役はリンパ球で、細胞性免疫に関わるある種のT細胞と、抗体をつくる体液性免疫に関わるB細胞があります。

じつは、この抗体をヒトの体内でつくり出す仕組みには大きな謎がありました。

ヒトの遺伝子は全部で約二万個あります。一方、抗体が対応する抗原となる物質は、百万種類もあって、これに応じて抗体をつくるには、どう見積もっても抗体の設計図となる遺伝子の数が足りません。

ところが実際には、ヒトの身体はどんな抗原にも適合する抗体をつくり出すことができるのです。ここが謎でした。

この謎を解いたのは、ノーベル生理学・医学賞を受けた利根川進氏らです。

利根川氏らは、リンパ球の中の抗体をつくり出す遺伝子が組み換わって多種多様な抗体をつくり出していることを解明しました。

これはじつに驚くべき用意周到な防御システムです。そのおかげで、私たち人間は、遺伝子の数をはるかに超える種類の病原体にも対抗して生きていけるのです。

この仕組みは、脊椎動物に備わって進化し、このことが哺乳類を含めた脊椎動物が感染症から逃れて長生きし、地球上で繁栄している理由になっています。

こうしたさまざまな学術研究によって、「いのち」や「からだ」の謎が解き明かされるたびに、私たちはその精妙な仕組みに驚くとともに、その自然の摂理に感謝の念を覚えずにはいられません。

もちろん新型コロナウイルスに対処するにも、この免疫システムの積み上げられた研究があったからこそ、いろいろな対策が検討できるのです。

まとめ

病原体に応じて遺伝子を組み換えられる細胞。そのお陰で、人間は生き長らえてきた。

がんを「自然」に治す「こころ」の免疫力の実話

より安全で効果的ながん治療法を求めて、各国の研究者がしのぎを削る中、「がんが自然に治ってしまった」という話を聞くことがあります。

医師から言われた西洋医学の三大治療法（手術、放射線、抗がん剤）などを受けずに、自然にがん細胞が消失したという例をしばしば耳にすることがあるのです。

それはおそらく病気になったとき、なぜ病気になったのかなど、自分の心の状態や身体の状態をきちんと判断し、本来の状態に戻す努力をした結果なのだと思います。

『がんが自然に治る生き方』（長田美穂訳、プレジデント社）の著者、ケリー・ターナー氏は、余命宣告を受けてから「劇的な寛解」に至った人たちを調査研究し、彼らが共通して実践している事項を次のように九つ抽出しました。

①抜本的に食事を変える、②治療法は自分で決める、③直感に従う、④ハーブとサ

プリメントの力を借りる、⑤抑圧された感情を解き放つ、⑥より前向きに生きる、⑦人の支えを受け入れる、⑧自分の魂と深く繋がる、⑨どうしても生きたい理由を持つ。

これらは何を意味しているのでしょうか。

ターナー氏いわく、治療者は自分であって、医療者はあくまでも補助するだけです。己のなすことは自分で決める。いかに生き、いかに死すかという死生観を持つことが大事なのです。私たちは生きる力を自分の中に備えています。大事なことは、未来は自分自身で描けるということを常に忘れず、「こころ」と免疫、そして身体は繋がっていると信じることなのではないでしょうか。そうすることで、いわば「こころの免疫力」が働き、眠っているよい遺伝子をONにすることができるのだと思います。

この遺伝子ONの典型的な実例として、ある女性の奇跡的な体験があります。

子育てを始めとする生活に追われ、経済的にも大変だった四八歳の主婦が、身体の不調に気づいたのは平成一八(二〇〇六)年のことでした。病院で診てもらったところ時すでに遅く、末期の子宮がんに侵されていることが判明しました。手術すればと思ったのですが、主治医から、「がんが広がりすぎて、私の手には負えない」と言われました。

おまけに、検査時に傷つけた血管からの出血を止めるための放射線治療を三〇回行わねばならず、その後、残された可能な治療法として、「ラルス（遠隔操作式高線量腔内照射）」という痛くて辛い治療を行いました。

その苦痛は想像を絶しました。この苦しさを味わうくらいなら、死んだほうがましとも思ったのですが、そんなとき、息子の学校の先生が一冊の本をプレゼントしてくれました。それがたまたま私の書いた『生命の暗号』（サンマーク出版）でした。

彼女はこの本の中で、「人間のＤＮＡのうち、実際に働いているのは全体のわずか五％程度で、まだオフになっている遺伝子が多いこと」を知り、「まだ眠っている遺伝子のスイッチを入れることができたら、いまより元気になれるかもしれない」と思ったそうです。そして「一組の両親から生まれる子供には七十兆通りの組み合わせがある」「人間は生まれてきただけでも大変な偉業を成し遂げたのであり、生きているだけで奇跡中の奇跡なのだ」という件を読み、人間として生まれたことが嬉しくてしかたがなくなったといいます。

「すると私の意識がどんどん膨らんで、いつのまにか地球を飛び出して宇宙から地球を見ていたんです」と語ります。そして、地球のすべてが輝いて見え、「私たちは生かされている」と実感した彼女は、自分を支えてくれている細胞の中にある遺伝子一つ一つに「ありがとう」と言い続けました。最初はがんでない部分から、「見える目にありがとう」「聞こえる耳にありがとう」「動く手にありがとう」と言い続け、夜が明けて治療時間が近づくころには、がん細胞に対してまで、「愛しているよ。いままで私の細胞でいてくれたんだから」と、感謝する気持ちになったそうです。

すると不思議なことが起こりました。あの痛くて辛い治療が、二回目には全く痛くなかったのです。そして、寝ても覚めてもこの「ありがとう」を繰り返していると、三回目も辛くなかったばかりか、一か月半後の検査で、子宮のレントゲン写真を見た医師が、「がん細胞がきれいになっている！」と驚いたのです。

ただ、すでにがんは肺や肝臓にも転移していたことが分かり、このままでは一か月ももたないだろうと言われて、抗がん剤治療を行うことにしました。

九月から一一月のその治療も辛いものでしたが、「ありがとう」だけは言い続けました。髪の毛がごっそり抜けたときも、自分の身体の一部だったと思うと簡単には捨てられず、一本一本に「ありがとう」とお礼を言ってから捨てました。

そんな生活をしていると、どんどん身体が軽くなっていくのに気づき、翌年二月に病院で検査をしてもらいました。すると、主治医も驚いていましたが、何とがんが跡形もなく消えていたのです。がんの宣告から一〇か月目のことだったといいます。

がんは遺伝子の関係の異常によって発生します。そしてがんを促進させる遺伝子とがんを抑える遺伝子があります。私は、がん促進の遺伝子がOFFになって抑制する遺伝子がONになることでがんが治るのではないかと思っていたので、彼女のこの貴重な体験は、私にとっても大変嬉しい出来事でした。

なお彼女は、主治医からその後の療養計画書を渡されたときに、なぜか気分が悪くなったともいいます。自分の人生なのに、人任せでいいのかという疑問からでした。そして、自分自身の計画をつくり、さらに元気を取り戻したのです。

これはまさに、前出のケリー・ターナー氏の言った「治療者は自分である」ということの正しさを証明しているといえるでしょう。

まとめ

生きていることに「ありがとう」。心からの感謝は遺伝子に届く。

これからの地球に求められるのは人類の「つつしみ」

近年のさまざまな科学技術にまつわる問題を考えると、やはり二一世紀は、「感謝」と「助けあい」と「つつしみ」が求められる時代になるでしょう。

これは科学の分野にとどまらず、あらゆる分野で求められる課題です。

食糧の問題などその最たるもので、世界を見渡すと食べ物が満ち足りている「飽食」は、日本などごく一部の地域の現象であることがよく分かります。世界の栄養不足人口は八億五二〇〇万人といわれます。

そのほとんどは途上国に暮らす人々です。途上国では毎年二〇〇〇万人以上の低体重児が生まれ、毎年五〇〇万人以上の子どもたちが栄養不足で命を失っているのです。

私は、これからは西洋と東洋の接点にいる日本の役割が大変大きなものになってくると考えています。

日本には昔から「おかげさま」という言葉がありますが、この言葉には「命を生かしてくれている太陽、月、空気、水、地球のお陰、そしてご先祖さま、あなたのお陰」という意味が含まれると思います。深い精神性を持った古きよき日本の心は、二一世紀に必ず必要とされると確信しています。

たとえば、モノに対する過度の執着をなくし、互いに助けあって暮らすための「つつしみ」の心です。このつつしみの心こそ、これからの世界で個人のライフスタイルを考えるキーワードになってくるのではないでしょうか。

とはいえ、私たちはすでに、かなり豊かな生活を送っているので、いろいろな面で「つつしみ」を実践することは難しくなっています。現代文明の中に生きている人々に向かって、「縄文時代に戻りましょう」「江戸時代のような生活を送りましょう」と言っても無理なことです。

また、私より上の世代には戦中・戦後の飢餓体験や、貧しい暮らしを送った記憶があります。一九四五年八月、日本が終戦を迎えたとき、私は小学四年生でした。

当時、多くの日本人にとって最大の心配ごとは、明日の食べ物をどうやって手に入れるかでした。戦中から配給制度が実施され、家族の人数に応じてコメや味噌、醬油などが割りあてられていましたが、戦況が厳しくなるにつれて、その量はどんどん少なくなりました。

ようやく終戦を迎えましたが、終戦後はもっとひどい状況になりました。こうしたことはつい七十有余年前の話ですが、大部分の現代人にはそんな経験はなく、食事に対するありがたみも薄れています。したがって、食糧危機といわれてもピンとこない人が多いようです。

しかし、戦中・戦後の私たちがそうだったように、いま現在、飢えに苦しむ人々が存在しています。こうした様子を見ていると、私は少年時代の記憶がオーバーラップして、他人《ひと》ごととは思えなくなります。

前に述べたように、日本人は、世界に飢えている人がたくさんいるというのに、お金があるからといって、外国から大量の食糧を買い、大量の食べ残しを出しています。こんなことがいつまでも許されるはずはありません。

こういうつつしみのなさをどのように改善していくか、まずはここからスタートしなければならないでしょう。

私の言う「つつしみ」とは、二割つつしんで八割だけを使うということです。「腹八分目」という言葉がありますが、まさにその実践です。経済にも、科学技術にも、この「腹八分目」の精神が必要ではないかと思います。腹八分目が健康によいことは遺伝子レベルでも明らかです。

一方、環境問題がクローズアップされているいま、「エシカル」という消費行動が注目されています。

エシカルとは消費者庁のホームページによると、「消費者それぞれが各自にとっての社会的課題の解決を考慮したり、そうした課題に取り組む事業者を応援しながら消費活動を行うこと。二〇一五年九月に国連で採択された持続可能な開発目標（ＳＤＧｓ）の一七のゴールのうち、特にゴール一二に関連する取組」とあります。

つまり、あなたがいま買おうとしているものの、背景と行く末を考えてみるということだと思います。たとえば、何かを買おうとしたとき、その価格が安いのはなぜかを考えてみる。外国で学校にも行けず、ひどい労働環境と安い賃金で働かされている子どもがいるのではないか、といったことを考えてみる。

であれば、発展途上国から適正な価格で継続的に「フェアトレード」の商品を買って、世界の不平等を少しでも変えよう、といった行動は、私たち一人ひとりが日々できる行動だと思います。このような消費はつつしみという精神と、利他性を考えることに繋がるのではないでしょうか。

日本には核兵器をつくる技術は持っていてもつくらないというコンセンサスがあります。これも一つの「つつしみ」でしょう。人類を不幸にするような方向に科学技術は使わないこと、科学技術は人類の幸福のためにあるということを、改めて提言したいと思います。

まとめ

これからの世界で生きるには「腹八分目」や「エシカル」の考え方など、「つつしみ」が求められる。

二一世紀を「命の世紀」にするために医学も認める「祈りの力」を

では、私たちは二一世紀をどのような時代にしていくべきでしょうか。

私は、一言でいえば、「命の世紀」にしていくべきだと思っています。この場合の「命」とは無論、ヒトの命という意味ではありません。

これまでヒトは、自分だけが勝つことを考え科学を発達させてきました。しかし、そのように、人間だけが独り勝ちして、好き勝手を許される時期はもう過ぎているのです。

それでは、「命の世紀」にするためにどうすべきか。私は「祈り」の持つ力に改めて気づくことではないかと思います。

私は長年にわたって科学者として、遺伝子の暗号解読に夢中で取り組んできましたが、あるとき、科学では解明できないものがあることに気づきました。そのような、人にはどうしても解明できないものへの畏敬の念を忘れてはならないのです。

祈りというと、無力な人間が、大きな存在の力にすがろうとして行うものだと思われがちですが、私は、祈りとは「生命の宣言」だと考えています。

なぜならば、日本語の「いのり」という言葉の語源は「生《い》宣《の》り」だと解釈されているのです。「い」は生命力（霊威ある力）であり、「のり」は祝詞《のりと》や詔《みことのり》の「のり」と同じで、宣言を意味します。

ですから「いのり」は生命の宣言です。人類は、宗教が生まれる前から祈りという行為を続けてきました。おそらくそれは祈りに思いも寄らない力があることを実感していたからでしょう。

しかも最近は、祈りの効果が科学的に研究され始めていて、ストレスによる免疫機能低下の改善を促したり、抑鬱からの回復効果をもたらしたりするという報告がなされています。

アメリカでは祈りの効果をみる実験が多く行われました。その中のひとつに、サンフランシスコの総合病院で行われたものがあります。心臓病集中治療病棟の患者三九三名の協力を得て、祈られるグループと祈られないグループにランダムに分け、祈りの有無以外はすべて同じ高度な治療を受けました。結果は祈られたグループが祈られなかったグループに比べて予後が良かったというものでした。

また、ドキュメンタリー映画『祈り～サムシンググレートとの対話』（白鳥哲監督）では、祈りを含めた意識研究の最先端が描かれています。この映画には私とともに、ホリスティック医学の権威ディーパック・チョプラ氏、細胞生物学者ブルース・リプトン氏、祈りを含めた意識研究を科学雑誌に発表し続けているジャーナリスト、リン・マクタガート氏らが登場します。この映画は世界各地の映画祭で賞を受賞し、いまでも上映が続いています。

私も真言宗の僧侶にご協力いただいて、祈りがどのような影響を及ぼすのかを調べる実験を行いました。

その結果、日々の行（瞑想や祈り）によって他者への共感や慈悲の心を育むことは、免疫機能の強化にも何らかの影響を及ぼすことが分かりました。

日々の祈りや瞑想が、ある心理状態をつくり、それが積み重なることで遺伝子を介して身体に影響を及ぼしたのではないかと私は推察しています。

そしてそのメカニズムには、心よりも深い「魂」と呼ばれるものが関わっているのかもしれないと私は考えているのです。

私は「心と遺伝子研究会」の発起人で、その代表を務めていますが、心理療法や臨床心理学分野で有名な河合隼雄氏は、この研究会の応援団のお一人でした。

あるとき河合氏は、「心と遺伝子の相互作用は大変面白いテーマで、その成果を大変期待している。しかし、もっと面白いテーマがある。それは、魂と遺伝子の研究や」と言われました。

私はすぐに、「それは大変面白いテーマです。しかし、非常に難しい。魂と聞いただけで逃げ出す科学者がたくさんいますよ」と答えました。

当時、文化庁長官という重職にあった河合氏に、私は言いました。「もし本気でこのテーマに取り組みたいのなら、文化庁長官を辞めてください。こんな重要なテーマは、片手間では取り組めません」

人間には魂というものがある、この魂の解明という難問を、河合氏は宿題として残して逝かれたと思っています。

たしかに、魂を科学的にとらえることは難しいのです。

しかし、太古の昔から人類が認識してきた魂というものはたしかにあると私も思っていて、残りの人生を懸けて魂と遺伝子の関係を追究していきたいと思っています。魂と遺伝子の関係の研究が進めば、祈りの重要性もさらに明らかになってくるはずです。

まとめ

人類への科学の貢献に限界が見えてきたいま、私たちを救うのは「祈り」の力。

ソウル・メーキング（魂の形成）という課題

人間には、頭では避けようと思っているのに、心の深いところでは歓迎している、というような、矛盾した部分があります。面白いもので「あんなこと言わなきゃよかったのに」ということをなぜか言ってしまうものです。

先述の河合氏も、相談に来られる方の多くが「なんであんなバカなことをしたんだろう」と言うが、それを聞いていると、頭では駄目だと思っていても、その方の「魂」はやりたがっているのではないかと思うことがよくあるそうです。

そういうことを背負ってこそ、魂は磨かれるのでしょう。「自己実現」とは自分の好きなことだけをするのではなく、頭では駄目だと思っているのに、魂が「やれ」と言っていることをするようなものだと思います。

自分の心の奥深くに存在していながら、現代人がその存在に気づいていないもの、あるいは忘れ去ったもの、それが「魂」なのではないでしょうか。

昔の人は、それぞれの文化の中で「魂」の存在を知っていました。そして、魂の存在を前提とする宇宙観を持っていました。

ところが現代に生きる私たちは、魂の存在を忘れてしまうほどに、その意識の世界を拡大してしまいました。私たちは、かつて多くの人々の魂の座でさえあった月に向かって飛んで行けるのです。

その一方で、魂は暗黒部へと追いやられたのではないでしょうか。

河合氏は、「現代人の魂は極度に汚染されている」と考えていました。

私たちは、地球だけでなく魂まで汚染しているのです。その結果が、地球規模で広がっている環境問題であり、また、それが人間の苦悩として表れているのではないでしょうか。

そもそも魂とは何でしょうか。それは、私たちの現在の意識（顕在意識）をはるかに超えた深層意識に存在すると思われますが、明確な言葉では定義できません。

ですから私たちは、それについてのファンタジーを語ることにより、その一端を伝えてきました。

たとえば魂とは、人間が死んだとき、あの世に持っていけるものである、ともいえるのではないでしょうか。人間は、この世で獲得した、地位、名声、財産は一切あの世に持っていけません。持っていけるものは魂だけかもしれない。そうすると、この世でのソウル・メーキング（魂の形成）は人生の重要な課題であり目的であるかもしれないのです。

まとめ

人の心の奥深くにあって、「意識」をはるかに超えた存在である「魂」を大事にすることが、これからの人間の重要な課題。

4

遺伝子は「いのち」の謎に迫れるか

生命や宇宙の研究にも求められる人間としての節度

「命はどうして生まれたか？」「宇宙はどうして生まれたか？」など、研究者のシンプルな探究心が大切であることは言うまでもありませんが、それが、人間の踏み込んでいい領域かどうか微妙な世界になると、大きな危険性をはらむことがあります。

最近、急速な勢いで進展している「ゲノム編集」は、単に科学者だけではなく、人類全体に関わる問題といえます。この技術が開発されて、一部では、これは神への反逆ではないかと言われてきました。また、この生命科学の進歩が、一種の宗教改革にも繋がるのではないかという意見もありました。

じつはかつて、遺伝子組み換え実験に関わる科学者たちが、このままいくと大変なことになるかもしれないと考え、実験を一時中止したことがあります。

一九七五年、アメリカ・カリフォルニア州アシロマに、世界二八か国の科学者、ジャーナリスト、宗教家など一四〇人ほどの専門家が集まって会議が開かれ、遺伝子組み換えに関するガイドラインが議論されたのです。
科学者が研究の自由を束縛してまでも、自らの社会的責任を問うたことは科学史に残るものでした。そして、それ以降は一定の規定の下で実験を行うことになったのです。

人間は有史以来ずっと品種改良をしてきましたが、イノシシをブタにしたから神に反逆したとは誰も言いませんでした。

しかし、いまのバイオテクノロジーはこれまでと次元が違うものであり、危険を伴う面もあります。それは、人間の望むある特定の性質の遺伝子だけを自由に編集できる点です。言い換えれば、人類が自らの種の遺伝子を編集して、進化を操ることができるようになったことにほかなりません。

二〇一二年、「クリスパー・キャスナイン（CRISPR/Cas9）」という画期的なゲノム編集技術が、フランス出身のエマニュエル・シャルパンティエ氏とアメリカ出身のジェニファー・ダウドナ氏によって生まれました。

この技術によって狙った遺伝子を簡単、確実に、手間なく編集できるようになりました。実際にこの技術を使い、病気の原因となる遺伝子変異を修復し、がん細胞の増殖を抑制する細胞をつくる研究が行われました。農学の分野でも、人口爆発が進む地球において九〇億人の食料をまかなえる遺伝子改変作物の実現可能性を生み出します。

しかし、その半面、生殖細胞の遺伝子改変や特定の生物の駆除など、倫理的な問題や生態系への悪影響などの問題が懸念されています。

人類はとうとうこうした技術を手に入れたのです。それは、人類に多大な貢献をするものであると同時に、想像を超えた危険性も含まれています。

ゲノム編集という技術は、まるで神の御業《みわざ》に等しいものです。

そのため、科学者らは倫理的危機を感じ、金儲けに悪用される前に、自ら招いた危険性に責任を持とうと立ち上がったのでした。

ダウドナ氏はこうした懸念を早くから指摘し、科学者の話し合いを提案しました。

二〇一五年、全米科学アカデミー主催の「ヒトゲノム編集国際会議」が開催され、研究に一定の歯止めをかける必要が合意されました。

ところが、二〇一八年一一月、中国がついに世界で初めてゲノムを編集した赤ちゃんをつくり出しました。研究者が躍起になってルールをつくろうとし始めた矢先に、エイズウイルス（ＨＩＶ）に耐性がある遺伝子を持つ双子のデザイナーベイビーを誕生させたのです。どのような危険性があるか不明なまま、生命がつくり替えられたのです。

このニュースは、同年一一月二七〜二九日に開催予定だった第二回ヒトゲノム編集国際サミットが始まる前日に飛び込んできました。

その会議では、ゲノム編集技術でヒトの卵子や精子、胚に手を加える道にどう踏み出すべきか、研究者らが国際的な合意を求めるために議論することになっていました。

そして、危惧は事実になり得るという研究結果が、二〇一九年六月に報告されました。ゲノム編集と同様の遺伝子変異が先天的にあった人は、そうでない人より寿命が短いとする研究結果を、米カリフォルニア大学の研究チームが医学誌『ネイチャー・メディシン（Nature Medicine）』に発表したのです。

つまり、デザイナーベイビーで入手したとされるＨＩＶ耐性によって、別のリスクを背負うことになったともいえます。私たち生命科学を探究する者は、人としての責任を深く認識すべきでしょう。

そんな中、二〇二〇年にクリスパー・キャスナインの開発を評価され、ダウドナとシャルパンティエの両氏がノーベル化学賞を受賞しました。

受賞発表の中、スウェーデン王立科学アカデミーは、「この技術は人類に大きな恩恵をもたらしうるものの、胎児の遺伝情報の書き換えにも用いることができることから、人類は新たな倫理的な課題に直面することになる」として、ヒトや動物で実験を行う場合は倫理委員会に諮《はか》り、承認を受けなければならないとしています。

このゲノム編集技術には、その後、特許争いが巻き起こっています。この技術開発の中心にいるダウドナ氏は、この技術がもたらす影響の大きさに思いを馳せ、人類が誤った選択をしないよう積極的発信と活動を続けています。

いままでの科学者は、どちらかというと実験室にこもり、研究だけをやっていればよかったのですが、これからは彼女のように自分のやっていることを周りに理解してもらえるよう努力することが、科学を進める上でも非常に大切だと感じます。

遺伝子組み換えの問題が出て以来、私は特にそう思うようになりました。

バイオテクノロジーの急速な進歩は、これからの時代の大きな特徴の一つです。一方、バイオテクノロジーは生命そのものと直接関わるものなので、倫理観や宗教的なものの見方と接点を持たざるを得ません。

人間はいったいどこまで生命に介入できるのか、など、バイオテクノロジーの進歩がもたらす問題は数多くあります。

ただ、新しい技術が直ちに「神への反逆」になるのかといえば、単純にそうとは言えないものです。神は私たち人間がこの新しい科学技術を使ってより幸福になっていく姿を黙って見守って下さるように思います。つまり、人間が自分たちで考え選択していくべき問題なのです。

まとめ

科学の進歩は、病の克服や環境保全などに貢献する反面、倫理に反するようなことを可能にする危険性もある。

ゲーテが予言していた遺伝子操作の危険性

私が思い出すのは、ゲーテの『ファウスト』にある実験室の場面です。ファウストにはワーグナーというあまり頭の冴えない助手がいて、試験管の中でホムンクルスという小人間をつくります。人間のいやらしいところばかり体現したグロテスクな小人間です。

『ファウスト』は、現代の我々が考えなければならない多くの問題を、一九世紀初頭に象徴的な形で取り上げていると思います。

どこでそれに歯止めをかけるかをはっきりしておかないと、科学技術の進歩発展を憎悪し嫌悪し、または不安に思うという意識はどうしても残ってしまいます。

もちろん、バイオテクノロジーが食糧問題や医療、生物学の進歩に貢献することは明らかです。ですから、それをやめることはできないでしょう。ただ知っておかなければならないことは、科学の進歩は善悪とは別の次元にあり、科学的な意識を人間が持っている限り、絶対ストップできないということです。

科学はやがてヒトの個体の個性にまで接近していくでしょう。『ファウスト』が警告した人造人間をつくり出すような危険性が必ず出てきます。それは、自然科学自身、あるいはそれを操る人間自身の中にある問題ともいえます。

人間がこの問題をどのように解決するのかは宗教や哲学にとっても非常に重大な問題です。そして最終的には、人間の生き方において、本当の幸せとは何かという問題と深く関係してくることでしょう。

そういう意味で、科学技術の発展は科学者だけの問題ではあり得ず、地球の未来にとっての大き過ぎる問題なのです。

前出の松井孝典氏によると、宇宙の研究分野も科学から技術にシフトしているようです。ロケットの技術などを使って金儲けを考える人が増えているのです。

科学の世界にビジネスが直接絡んできて、科学者が科学者であり続けられなくなってきました。そういう土壌を無視して科学者が自分の興味だけで研究を進めることは、ある意味で危険をはらむことになります。

研究の結果起きることに対して、科学者は責任をとらなければなりません。科学はカルチャーです。つまり、人との関わりから切り離して考えることはできません。

まとめ

バイオテクノロジーの進歩による善悪は、それを操る人間自身の中にある。

遺伝子も酵素も生物の「部分」であり「全体」像に届かない

親から子へなぜ情報が伝わるのかという、生物の基本的な謎の一つである遺伝の仕組みも科学的に解明され、遺伝子情報も読み解かれるようになりました。

遺伝子上には、生物に必要なあらゆる情報が書き込んであると考えられ、さらには、長い長い進化の歴史まで刻み込まれているのです。

DNAは物質ですが、生命と物質を繋ぐものです。このDNAの発見は二〇世紀最大のものとされ、自然科学だけでなく思想界や社会の考え方にも影響を及ぼしました。

遺伝子とタンパク質や酵素は補い合いながら、中心的役割を演じて生命活動をしています。この遺伝子とタンパク質という二つの出合いと働きがなければ、生命は絶対に誕生していません。たとえば、最も単純な生物らしいものといわれる病原体ウイルスは、遺伝子と酵素を含むタンパク質だけでできています。

しかし、生物はそれほど簡単なものではないと私は思います。「木を見て森を見ず」のことわざどおり、酵素や遺伝子の面からだけでは生命や生物は捉えられないのです。私たちも、高血圧の黒幕といわれるレニンという大変興味深い物質に出合い、これこそ高血圧の元凶と一時は考え、その物質の正体を分子レベルではほぼ完全に明らかにしました。

しかし、高血圧がなぜ起こるのか、あるいは高血圧の全体像については、世界中で何千人もの研究者が必死で研究しているにも拘らず、その全貌は解明できていません。このことは生物化学や分子生物学全体に当てはまり、バイオテクノロジーの華々しい掛け声とは裏腹に、基礎研究の現場では一時見られた熱気が失せ、新しい考え方や方法論を待望する声も強いのです。

そのような状況の中で、近代科学の枠組みを超えようとする動きがあります。これは、いままでの生物化学や分子生物学は、物質という部分をあまりにも重視し過ぎたため、生物にとって重要な全体像を見落としているのではないかという考え方に基づいています。

さらに、部分が総和されたものは、質的に全く新しいものになることを、ほとんどの科学者たちは忘れているという指摘がなされたのです。しかし、これは科学の世界では昔から常識でした。

たとえば、水素と酸素が手を繋いでできる水は、水素や酸素の性質の和ではなく、それらとは全く違うものです。同様に、アミノ酸がいくつも数珠繋ぎになってできたタンパク質も、構成するアミノ酸の性質からは全く考えられないような、見事な働きをします。さらに、多くのタンパク質が脂質などと一緒になって形成される細胞は、まさに一つの生き物のように、その構成する要素とは質的に異なった働きをします。

そして細胞が集まってできる組織や臓器、さらにそれらが集まって形成される一つの生命体まで、各々の段階で全く質的に異なった高度なものがつくられていくのです。

まとめ

生物の部分を分析して組み合わせても、全体像は分からない。生命はそれぞれの物質の和ではないからである。

「目に見える自然」だけでなく「目に見えない自然」もある

私たちは、目に見えるもの、合理的に説明のつくものを大切にするという科学的な態度を身につけようという教育を受けて大人になります。私も科学者の一人として、そういう科学的な態度を大切にしながら、これまでを過ごしてきました。

しかし、ほんとうの幸せを知る唯一の方法は、目に見えるものの価値と、目に見えないものの価値をバランスよく理解することだと思うようになりました。

心は目に見えないものです。そして、「生命」の本質も、目には見えないものです。

たとえば、私の大好きな金子みすゞさんの詩に、次のような作品があります。

「星とたんぽぽ」　　金子みすゞ

青いお空の底ふかく、
海の小石のそのように、
夜がくるまで沈んでる、
昼のお星は眼にみえぬ。
見えぬけれどもあるんだよ、
見えぬものでもあるんだよ。
散ってすがれたたんぽぽの、
瓦のすきに、だァまって、
春のくるまでかくれてる、
つよいその根は眼にみえぬ。
見えぬけれどもあるんだよ、
見えぬものでもあるんだよ。

金子さんがこの詩の中で「見えぬけれどもあるんだよ、見えぬものでもあるんだよ」とよびかけているのは、まさにこのことだろうと理解しています。

私は、自然には二つあると思っています。一つは「目に見える自然」です。山とか川とかの自然です。しかし、こうした自然が遺伝子の暗号を書いたとは思えません。そこで、「目に見えない自然」という、もう一つの自然を考えてみました。

たしかに科学は「目に見える自然」を相手に発展してきた学問です。しかし、科学にも「目に見えない自然」を考えなければ説明のつかない話はいくらでもあります。

そして、私は、こういう「説明のつかないもの」を信じようとすることが、いい遺伝子スイッチをONにすることに繋がっていくと思えてしかたがありません。

仏教に「菩提」という言葉があります。これは「悟り」を意味するサンスクリット語の「ボーディ」に由来するものです。この「菩提」（悟り）の境地を「涅槃《ねはん》」といいます。「涅槃」に至ることは、仏教の究極の目的とされています。

私はもしかしたら、仏教の教えはこの「目に見えない自然を自覚せよ」と言っているのではないかと思います。

現在、日本はGDPランキングで世界第三位の経済大国です。それでもなお、求め続けているはずの幸福になかなか至らないのは、目には見えないものの素晴らしいはたらきを感じとれていないからだと思います。

そして、もう一つ注目していただきたいのは、人間の大きな可能性です。私は遺伝子の研究を通じて、それを強く思うようになりました。誰でも自分のことを「パッとしない奴だ」と思って落ち込んでしまうときがあります。

しかし、人間というものは、天才も凡才も変わりなく、大きな可能性に満ちた存在で、単に遺伝子がONになっているかいないかの差なのです。

いつどこで、眠っていた遺伝子のスイッチが入って、素晴らしい才能が現れるか分かりません。

まとめ

合理的な「目に見える」ものだけではなく、説明できない「目に見えないもの」を信じる。それがいい人生を送る近道。

ヒトをつくるのはヒトではない 自然界や宇宙こそ私たちの親

私たちがどんなに「生きたい」と願っても、遺伝子の働きが止まってしまえば、一分一秒たりとも生きていることはできません。そういう存在である人間が、一〇〇年前後も生きられる寿命を持っているのは、ヒトをつくるのはヒトではないからです。

私たちは「子どもをつくる」という言い方をすることがありますが、実際のところ、親は受精卵をつくるのに少しだけ協力し、あとは栄養を補給する役割を果たしているにすぎません。

赤ちゃんをつくっているのは、遺伝子の設計図をもとにした、胎児自身の生命としての営みであって、お父さんやお母さんではないのです。

生命科学が大きく発展し、いろいろなことが分かってきました。たとえば近年、遺伝子組み換えによる品種改良やクローン動物を誕生させることもできるようになりました。

だからといって「クローン動物をつくれるようになった」というのは大変おこがましい言い方です。科学者はあらかじめ存在する遺伝子や細胞を使っているだけだからです。

これらのものにあれこれと手を加えてようやく生命を誕生させているのです。したがって、生命をつくり出しているのは細胞や遺伝子の力によるものであり、科学技術の力ではないのです。

しかし私は、そうした科学の現状について忸怩《じくじ》たる思いを持つというよりは、むしろ生命というものの偉大さのほうに目が向いてしまいます。

人間が大いなる自然の掌《たなごころ》で生かされている存在であることに気づけば、人類はもっと謙虚になれるのではないでしょうか。

「一億円をあげる」と言われたら、私たちは誰でも大喜びすると思います。税金の心配をしなくてはいけないかもしれませんが、ほとんどの人は、その幸運を飛びあがって喜ぶに違いありません。

しかし、私たちが「生かされている」という贈り物の価値は、一億円どころではありません。遺伝子学者の木村資生《もとお》氏は、「細胞一個が偶然に生まれる確率は、一億円の宝くじが一〇〇万回連続で当たったような有り難さである」と言っています。

私たちは生きているのではなく、生かされているのではないか――私はそういう思いを強く持つようになりました。そう思うことで、生きているだけでもうけもの、生きているだけで幸せであると感じることができるようになり、生き方も豊かになるのではないでしょうか。

まとめ

いくら科学が発展しても、遺伝子や細胞は生み出せない。私たちは生きているのではなく、生かされている。

〇・五％の遺伝子の多様性は、生き残るための手段

天才もふつうの人も九九・五％の遺伝情報は同じですが、それと同時に、すべての人は、他の誰とも違う遺伝子を持っている、唯一無二の存在です。

「私と小鳥と鈴と」　　金子みすゞ

私が両手をひろげても、
お空はちっとも飛べないが、
飛べる小鳥は私のように、
地面を速く走れない。

私がからだをゆすっても、
きれいな音は出ないけど、
あの鳴る鈴は私のように、
たくさんな唄は知らないよ。

鈴と、小鳥と、それから私、
みんなちがって、みんないい。

この詩にあるように、私たちは人と比較するために生まれてきたのではなく、自分の花を咲かせるために生まれてきたと思うのです。

たしかに、遺伝情報はほとんど変わらず、九九・五%同じです。ただ、ほんの少しだけ違う。ここが面白いところでしょう。

ではなぜ、〇・五%の違いが与えられたのでしょうか。私の考えでは、やはり一色だと面白くないからだと思います。

多様な人間がいるからこの世界は面白いのです。

そしてもう一つ大事なことがあります。多様性がないと、不測の事態が起きたとき、その生物すべてが絶滅する可能性があるのです。

たとえば、ある感染症が世界で広がったとします。もし人類一人ひとりが一〇〇%同じ遺伝子ならば、全員が感染し、人類全体が淘汰されてしまう可能性もあります。

しかし実際には、なぜか感染しない人が必ずどこかにいます。

マラリアは世界で一年間に推定二億人が感染し、四〇万人以上が死亡する感染症です。このマラリアに感染しない人たちがいます。

それは鎌状赤血球症の遺伝子をもつ人たちで、彼らの赤血球の酸素を運ぶ能力は比較的低いのですが、マラリアが流行《はや》ったときには、かえってこのような人たちが生き延びていったのです。

そういう意味でも、多様性こそが素晴らしいのです。パンデミックが起こったときでもこの多様性によって全体の滅亡を避けることができます。

多様性があればこそ、生命を繋ぐことも、進化を促すこともできていることに気がついていただきたいものです。

また、このようなことも言えます。私は、「死」があるからこそ生物は進化できると考えています。

たとえば、大腸菌には死の遺伝子がないため、栄養がなくならない限りいつまでも生き続けます。しかし、その代わり進化もしません。

がん細胞も同じです。がん細胞は死なないので、ものすごく増えます。しかし、増えたことによって他の細胞を食い潰し、その結果、自らが寄宿する臓器そのものを駄目にしてしまいます。最終的にはその個体が死ぬと同時に自分たちも死んでしまいます。

つまり、ヒトは、大腸菌やがん細胞のような単細胞から出発し、気が遠くなるような年月をかけて死と生を繰り返し、進化を続けながらヒトになったということです。

まとめ

生命のバトンも進化も、多様性があればこそ。「死」があるから生物は進化できる。

科学で魂の不滅は説明できないが、生命の連続性は説明できる

死んだら生まれ変わるというのは本当でしょうか？　私たち人間は古来、「果たして死はすべての終わりなのか？」という疑問を抱きながら、今日に至っています。

この疑問に唯一答えてくれたのは主に宗教でした。ある宗教では、死は出直し(Re・Birth)であるといいます。古い着物を脱いで新しい着物に着替えるように、死はあるワンステップの終わりにすぎないということです。

このように「死んだら生まれ変わる」と信じている人々はたくさんいます。そうした人の多くは、生命の本質は魂だと考えています。魂が肉体に宿って、この世に生を受けるのだから、肉体は滅びても、魂は不滅であると信じています。

この魂の連続性を指して、「輪廻転生《りんねてんしょう》」とか、あるいは「生まれ変わり」「出直し」など、さまざまな呼び方をしています。

このような魂の不滅や連続性ということは、科学の言葉では説明できません。しかし、物質というレベルであれば、科学者の立場からたしかに生命というものに連続性があると説明することができます。

私たちの身体は、宇宙や地球の元素を借りてできあがっています。生物の身体は、すべて宇宙や地球の元素を材料にした造形物です。そして、造形物である私たちの身体は、食べ物などを通じて元素を取り込み、生を繋いでいます。

このように考えると、私たちが自分の身体だと思っているものは、じつは宇宙と地球からの借り物、レンタルだということになります。ですから、生命とは借りものの「器」の中にある存在と言えるかもしれません。生物の身体を構成していた元素は、生物が死ねば地球に還り、また次の生命を宿すための「器」として使われます。生命は、そのように地球レベルで循環しているのです。

私たちは身体の中に確実に、古代の魚類や恐竜の身体をつくっていた水素や炭素を持っています。そう思うと、大変不思議な気持ちになるとともに、地球に生かされている自分を実感できるのではないでしょうか。

また、人間が死んで火葬されると、身体の炭素原子は二酸化炭素となり、大気中に放出されます。たとえば、私の身体から発生した二酸化炭素が、地球の上空一〇キロメートルの大気圏で均一に拡散されたとします。

そうすると、地球のどこであっても一リットルの大気の中には、私の身体を形づくっていた炭素が一二万個ほど入っていることになります。

このように、かつて生物の身体をつくっていた元素は、大気にも土の中にも、草木や植物の中にも宿ることになります。『千の風になって』という歌がありますが、この歌の歌詞の意味は、まさにこのことなのかもしれません。

私たちの身体が生命の連続性を持っていることは確実です。物質レベルでは、輪廻転生をしているということになります。科学の立場から言えば、魂はともかく、肉体は間違いなく生まれ変わっているのです。

まとめ

「死ぬ」ということは、生命の器を自然に返すこと。やがて次の生命の器となって甦る。

ゲノムすべてを解き明かしても、生命の本質は明らかにならない

生命の連続性は、遺伝子のレベルでも説明することができます。親の遺伝子は子に伝わり、子の遺伝子は孫に伝わっていきます。原始生命の時代から、このような遺伝子の継承を連綿と続けてきた結果として、いまの私たちが存在しています。ですから、私たち一人ひとりが、三八億年の地球生命の歴史を背負っているのです。

それでは、生命の本質は遺伝子であると言えるのでしょうか。それは違うと思います。なぜならば、遺伝子は生物の設計図にすぎないからです。

アメリカの分子生物学者、ジェームズ・ワトソンとともにＤＮＡの二重螺旋構造を明らかにしたイギリスの科学者、フランシス・クリックは著書『ＤＮＡに魂はあるか驚異の仮説』（中原英臣訳、講談社）の中で「遺伝子に魂はない」と結論づけています。

遺伝子は物質として生命の連続性を繋いでいくものではありますが、魂については

別の次元で考えなければならないということです。

では、生命の本質はどこにあるのか。それはよく分かりません。ゲノムのすべてを解き明かしたとしても、生命の本質を明らかにすることはできないでしょう。

魂というものがあるとすれば、まさにこの生命の本質の中にあるのではないかと思いますが、それを知るのは、現在の科学では手に余ります。魂は存在するかという問題は、物質レベルや遺伝子レベルなど、現在の科学によっては証明することはできないということです。

ですから、私は科学者という立場でこの問題に踏み込むことには多少の憚《はばか》りを感じています。ただ、「生まれかわりはあるのか」「死後の世界はあるのか」という問いかけに対して「ない」と断定し、「本当にあるのなら証明してみろ」などという意見には、多少思うところがあります。

たしかに、死後の世界を科学的に証明することはできません。しかし、逆に「死ねばすべては無に帰してしまう」ということを証明することもできません。つまり、「魂があるのかないのか」、その確率は五分五分だということです。

確率が半々ならば、あとは信じるか信じないかの問題になるでしょう。

言ってみれば、魂の問題は科学の分野ではないということになります。突き詰めて考えれば、「幸せ」に関する話です。来世や天国を信じることで幸せになれるのなら、一生懸命それを信じればいいのです。

「ヒトにとって何が幸せなのか」などという問題は、科学が立ち入る話ではありません。一生懸命生きてきて、「死ねば、自分より先に死んだ人々に会える」ということを信じられる人は、それを信じればいいのです。

それだけで、幸せになれるからです。それもまた、死を乗り越える方法の一つだと思います。私も、死ねば両親に会えると思いながら、死期を迎えたいと思います。それによって前向きで充実した人生が送れるのなら言うことはありません。ですから、私は、魂はあると信じているのです。

ただし、私が想定する魂は、生きているいまの自分が意識している「心」とは違うものです。うれしくなったり、悲しくなったり、怒ったりなど、意識できる「心」は、肉体とともに滅びるでしょう。

一方、魂とは、無意識の世界と関係していて、通常はそれを意識することはできません。魂と無意識が関係している、ということもまた証明されているわけではありません。だから、昔から神仏の世界は理性や意識の範囲では捉えられないと言われているのだと私は思っています。

このように、魂と心を分けるという考え方をするのは私だけではありません。面白いことに、どの言語でも心と魂には別の言葉が使われています。これは、どの民族も心と魂を区別しているということでしょう。

つまり、どの地域の人も、人間は、「身体」と「心」と「魂」からなっていると考えているということにならないでしょうか。このように、心と魂を分けて考えてみるのも、生と死の問題の一つの考え方なのではないでしょうか。

まとめ

心や身体は死とともに滅びるが「魂」があるのかないのかの確率は五分五分。あとは信じるか信じないか。

人類は遺伝子ONで進化する 5

常識の歴史的転換を迫った一万個のトマトがなる一本の木

一九八五年につくば市で開かれた「科学万博・つくば'85」で、一本の木に一万個の実をつけたトマトが大きな話題の一つになりました。

一見、このようなトマトができたのは、遺伝子組み換えや細胞融合などの新しい技術によるものと思われたかもしれませんが、じつはそうではありません。この巨木の秘密は、太陽の光と栄養分を含んだ水だけで育てられたところにあるのです。

常識的に考えれば、植物の生長に「土」は欠かせません。土に根を生やし、土から各種の養分をとって生長するものだからです。

しかし、植物本来の性質を考えるとじつは、枝と幹にしっかりと支えられ、土中に貯えられているものと同様の養分がありさえすれば土は必要ではなく、根の部分を水にひたしておくだけで大きく生長できるのです。

むしろ、土に根を生やしているためにかえって生長が妨げられている部分もあると思われます。この巨大なトマトの木が教えてくれたことは、生き物がまだまだ私たちの知らない、無限ともいえる可能性を秘めていることです。

この水耕栽培（ハイポニカ農法）を考案した野沢重雄氏は、「植物は土に根を生やしているために、潜在的な生長力がおさえられている」という、常識とは逆の発想をして、トマトを土から解放してやることを考えました。

その結果、ふつうの一〇〇〇倍もの実をつけるトマトを育て上げたのです。野沢氏は、なぜこのような発想をすることができたのか、次のように語っています。

「いまある植物というのは、一つの条件に対応した限られた可能性しか出していません。なぜもっと大きな可能性が現われないのかと考え、さまざまな条件を調べていったのです。その一つが、土がじゃまをしているという見方でした」

土の中の水分は常に変化しているものです。それが、酸素の供給をじゃますることもあるし、温度の変化をまともに受けることにもなります。一種の化学反応を起こしているということです。ということで、これらのじゃまものがスムーズな化学反応にブレーキをかけているのではないかと野沢氏は考えたのです。

もし、こういうもろもろの制約を除いていったらどうなるか。もっともっと伸びるはずだ。光合成能力というものの効率をもっと上げられるはずだ、と野沢氏は考えました。それがまさにズバリ、そのとおりだったことは、通常の一〇〇〇倍のトマトを実らせたことで見事に証明されました。

これはどういうことかというと、トマトが、人間が考えているよりも、もっとはるかに素晴らしい生命力（能力）をもっているということです。野沢氏はそれを信じ、それを証明しました。人間も全く同じだと思います。じゃまになる因子さえ取り除いて、十分な環境を与えてやればいくらでも伸びるはずです。

私たちは自分の能力を引き出そうと努力しますが、自分の限界意識にじゃまをされて、「これで精一杯」だと諦めていないでしょうか。しかし、限界意識が生まれるほとんどの原因が「他者との比較」であることに気づくことができれば、能力を発揮するための阻害因子を一つ取り除くことができるのではないでしょうか。

さらに、私が考える阻害因子は、「ものの考え方」です。どんな考え方かというと、それは「自然の法則に反する」ような考え方です。自然の法則に合致するとき、遺伝子は初めて、生命を守り、生命を育み、楽しませる方向に働くのです。

ですから、私たちは、自然をよく観察して、その法則に合致した生き方をすればいいのです。もしそれができれば、私たちはあのトマトのように、信じられないほどの大きな力を発揮できるようになるはずです。

実際、私たちの身体は信じがたいほどうまくできています。そして、誰もが自分が思っている以上のすごい能力をもっているのです。

そして、人間もトマトも、まだまだ伸ばせるその可能性の大きさを十分知ることによって、その余裕の中で、自然の摂理に反するような際限もない拡大再生産には、ブレーキを掛けることもできるはずです。そのすごい能力は、自然をよく知って、その法則に合致する生き方をしたときにのみ、十分に生かされるからです。

まとめ

トマトの木が教えてくれたこと。
それは、未知の無限の可能性が自然の法則の中にあること。

崖っぷちに立つ人類も、変身できる可能性がある

遺伝子には、スイッチのようにONとOFFの機能があることは、すでに何回かお話ししてきました。

そしてこのON・OFFの機能は、決して一生固定されているものではなく、物理的刺激、化学的刺激、そして精神的な刺激によって変化することが分かっています。もし自分にとって好ましい遺伝子のスイッチをONにすることができれば、それまでの自分とは違った自分になれる。これは間違いのない事実です。

たとえば、ジャック・マイヨールというフリーダイバーがいました。映画『グラン・ブルー』のモデルになった人で、四十九歳のとき、素潜りで水深一〇五メートルも潜ったことで有名になりました。

ヒトは生理的に四〇メートルくらいしか潜ることができません。また、マイヨール

が一〇五メートル潜ったとき、約五分間かかったそうです。人間は五分もの間息をせずに生きていることはできません。

ですから、当初は多くの人が、マイヨールのやったことを信じませんでした。そこで彼は、潜水用のアクアラングをつけた医者を水深三〇メートルおきに配置して、実際に潜ってみせ、脈拍や血流をチェックさせました。

その結果、不思議なことが判明しました。通常七〇くらいの脈拍数が、二〇くらいにまで落ちたのです。普通は、そこまで脈拍数が落ちれば死んでしまいます。なぜ死ななかったのでしょうか。

その理由は、脳と心臓以外の血流が極端に減っていたことでした。そうなることで、乏しくなった酸素が脳と心臓に集中的に集まり、そのおかげで強烈な水圧の中、五分も息をしないで生き続けることができたのです。

この事実から分かることは、生命を守ろうとするとき、遺伝子は普通とは違う働きをするということです。遺伝子はこんな離れ業もできるのです。

だとしたら、マイヨール以外の人にも同じようなことができるといえます。ただ私は、ドキュメンタリー映画『地球交響曲第二番《ガイアシンフォニー》』で彼を取り上げた龍村仁《たつむらじん》氏のお話を聞いて、マイヨール以外の人には不可能ではないかとも思いました。なぜならば、遺伝子のON・OFFには、精神的な要因が関係しているからです。

龍村氏によれば、マイヨールは若いころ、水族館の飼育係の仕事をしていて、雌のイルカに恋をしたといいます。そしてそのイルカと一緒に泳いでいるうちに、気がつくと五分間潜っていたことがあったというのです。

マイヨールは龍村氏にこう言ったそうです。

「潜ると苦しいと思うだろうが違うんだ。感覚が全開状態になって、私が海で、海が私でという境目の分からない感覚になり、宇宙的なバイブレーションを感じて、覚醒状態のピークになる」

「人の思いが遺伝子を変える」ことを証明したいと私は思っています。イルカに本気で恋をするという独特さが、彼の遺伝子の働きを変えたと解釈することはあながち的外れとは思えません。

私の体験からも言えることは、よくも悪くも人間は「変われる」ということです。

私が京都大学を受験しようと思ったのは中学生のとき、日本人で初めてノーベル賞を受賞した湯川秀樹博士に憧れたからでした。

しかし、何とか入学したものの、学業的には全く目立ちませんでしたし、大学院でも秀才だった先輩に圧倒され、劣等感で一杯でした。私の遺伝子はＯＦＦのままだったのです。

そんな私が変わったきっかけはアメリカ留学でした。実力主義で自由な研究環境の中で、私は変わりました。遺伝子が一気にＯＮになったようで、私は研究に本気で打ち込むようになったのです。

日本人研究者の中には、外国に行っていい仕事をする人がしばしばいます。日本の研究土壌が合わなくて、遺伝子がＯＮになっていなかっただけのことだったのでしょう。

まとめ

ヒトは多くの可能性を秘めていて、環境を変えることで遺伝子をＯＮにすることができる。

現代社会のゆがみが、子どもたちの遺伝子をOFFにする

逆に、いままでONだった遺伝子が、何らかの理由でOFFになってしまうこともあります。たとえば不登校です。ほとんどの子どもは、親が尻を叩かなくても、自分から学校へ行きます。それが急にできなくなるのが不登校という現象です。明らかにいままでONだったスイッチがOFFになった状態です。

私が不登校の子どもたちと会ったのは、大越俊夫という方が始めた不登校生のための私塾でした。塾長の大越氏は、四五年以上にわたり、七〇〇〇人を超える引きこもりや不登校で悩む若者に向き合ってこられました。現在も学校に行きづらい子のための学び舎、「Dull Boi Academy（ダルボイ・アカデミー）」で塾長をされています。

その塾から講演の依頼があったとき、じつは気が進みませんでした。大学で教えていて多くの学生がいかに教師の話を真面目に聞かないか知っていたからです。「まし

て学校を嫌いでやめた子どもが、遺伝子などといういっけんむずかしい話をちゃんと聞いてくれるわけがない」とゆえもなく私は思い込んでいたのです。

彼らを前にして私は次のような話をしました。

「遺伝子というのは、環境によって目覚めることがあります。スイッチONになれば、普段発揮できなかった力が出てきます。人間の一生とは、親から授かった遺伝子をどう目覚めさせるかの問題です。

私は日本の大学にいたときは、ろくに勉強もせず成績のよい学生ではありませんでしたが、アメリカに留学したら環境の変化で遺伝子がONになったようで、勉強に喜びが感じられるようになって成績もグンと伸びました」

「いままで脳の働きは先天的に決められていると考えられていましたが、そうではありません。眠っている遺伝子をONにすれば誰でも天才なのです。なぜなら、人間のゲノムは天才も凡人も九九・五%以上は同じにできているからです。

しかも環境変化や心の持ち方でも遺伝子ONは可能です。君たちも、思いを新たにすれば不可能なことはないのです」

「私は研究を行う過程で生命設計図の精密さに心打たれ、DNAに暗号を書き込んだ何らかの『存在』を感じ、それをサムシング・グレート（大自然の大いなる力）と名づけました。人がその人として生まれ生きていく可能性はほとんど奇跡に近いことです」

私がびっくりしたのは、話を聞く子どもたちの目が皆真剣でキラキラ輝いていて、後の質問も活発で大変鋭かったことです。それだけでなく、後日、塾生から送られてきた感想文の内容は素晴らしいものでした。文字はきれいで誤字もなく、文意もすっきりと通って、一読して彼らの頭脳の優秀さ、そして人間的な誠実さとやさしさが感じられました。その一部を紹介してみましょう。

——先日は講演会で素晴らしいお話を聞かせてくださって、ありがとうございました。いつも何か新しいことをはじめようとすると不安が先に立ってしまい、「ダメだ、私には無理だ」と決めつけて、動けませんでした。しかし、先生のお話を聞いているうちに、自分の気持ち次第で遺伝子をONにできるかもしれない、私でも何かできるかもしれない、と元気と勇気がわいてきました。サムシング・グレートはたしかにあるだろうと私も思います。こうして、塾に出合って、塾で学ぶことができるのもサムシング・グレートの力によるものだと思うからです。先生がおっしゃった「私たちが生きているということも奇跡なのだ」という言葉がすごくうれしかったです。「私の中にも奇跡が起きている」ということを知ったおかげで、いつも「私はダメな人間だ」と嫌っていた自分を、少しは好きになれそうな気がします。私も遺伝子のスイッチをどんどんONにしていきたいです。そして私に何かできるのならば、人のために役立っていきたいと思っています。

でも、まずは「自分自身」のことから、いろいろなことにチャレンジして、ドキドキワクワク輝いていたいです。ほんとうに、楽しいひとときをどうもありがとうございました。――

このような素晴らしい感想文を数十通もいただいたのです。

このときから私は、不登校生に関する認識を一八〇度あらためなくてはならないと思い始めました。

彼らが学校へ行けないのは、彼らが劣っているからではなく、彼らを不登校に追い込んだ画一的な教育システムに欠陥があるからではないか。学校へ行くのが当たり前で、行けない子どもは落ちこぼれであるという社会通念、それはステレオタイプの思い込みにすぎないのではないか。そんなふうに認識をあらたにしたのです。

であれば、子どもを学校という鋳型に無理にはめ込むことは、その、「いのち」本来の素晴らしさや可能性を殺してしまうことにもなる。また、学校という環境の中では発揮されなかった能力が、学校へ「行かない」方法を選択することによってかえっておおいに花開くこともありえる。

私に感想文を送ってくれた塾生さんたちは、さしずめその典型で、彼らは学校以外の場所でこそ、その遺伝子をＯＮにできる子どもたちなのだ、と思い至ったのです。

肝心なことは、それぞれに合った環境や出会いであり、そのような場に出合えれば遺伝子の働きはダイナミックに変わるということを知ることです。

まとめ

遺伝子は簡単にＯＮしたり、ＯＦＦしたりするもの。
だから、ＯＦＦになった遺伝子をＯＮするのも難しいことではない。

人が一瞬で変わるのは、その人本来の遺伝子がONしたから

人は、遺伝子のON・OFFによって変われます。しかしその「変わる」ということは、その人が別の人になってしまうのでしょうか。その点に疑問が残ります。

その意味からも、ここで紹介する大越氏と子どもたちの例は、もう一歩踏み込んで一つの興味深い本質的な問題を提示してくれています。

それは大越氏の著書『6000人を一瞬で変えたひと言②』（サンマーク出版）に出てきます。この本の冒頭で大越氏は、「変わる」ということの本当の意味として、次のようなことを書かれています。

人は一瞬にして変われる。それはなぜだろうか――。

前作『6000人を一瞬で変えたひと言』を読んでくださった人たちから、い

ろいろな感想をいただいた。

なかには、「そんな、一瞬で変われるなんてウソだ」と言った人もいた。

「現に今、私は変われなくて苦しんでいる。でも、あなたのところの子どもたちは、一瞬で変わったという。なぜだ、何が違うのか」

そう真剣に問われたこともあった。

そんな一人に、あるジャーナリストがいた。

彼は、四百年ものあいだ変わらない一つの商品だけを作り、売り続けている、ある老舗企業に興味を持った。すべてが激変していく世の中で、変わらぬ商品一つで生きのびている。しかも無借金の優良会社で、東証一部上場も果たしている。

片や一瞬にして変わる子どもたち。片や四百年も変わらない会社。

彼は、この両極端に見える二つの現象に、何か通じるものを感じたらしい。

ある日、私にこう言った。

「大越先生、ここの子どもたちは、本当に一瞬にして激変する。そのことを私は、別人のように変わる、と言おうとして、待てよと思いました。彼らは本当に別人になったのか。似ても似つかない別人格の人間になったのか。どうもそうではない。むしろ本来の自分に戻っている、変わらない自分に戻っているのではないでしょうか」

私は、彼の気づきに感心しながら、こう答えた。

「ええ、そのとおり。親御さんは、自分の子どもが別人のように元気になったと喜んで感謝されますが、そんな時私は言うんです。とんでもない、お子さんは自分で元の自分に戻った、本来の自分を取り戻しただけ。私たちはその手伝いをしただけだと……」

私が、講演会や北海道合宿の現場で会ったここの子どもたちは、まさに本来の自分に戻ったからこそ、身も心も安定していたのでしょう。そして安堵の表情を浮かべ、どんどん元気になっていくのです。

人の集合体である企業も、さまざまな時代の変化に対応しながら、常にその会社本来の存在意義に回帰することが、安定と長寿の条件といえそうです。

激変する子どもたち、四〇〇年変わらない企業、そこに通じあう価値を解読する鍵は、まさにここにあるのではないか。つまりその人も企業も、本来持っている遺伝子がスイッチONすることによって、元気な状態、安定した状態を取り戻し、維持できるということでしょう。

神ならぬ人の世にあるかぎり、人も、人の集合体である組織も社会も、そして人類そのものも道に迷うことはあります。

いわば現在、「成長の限界」どころか「生存の限界」に向かっている「人新世」の人類も、利他的遺伝子が示すようなその本来の姿に戻ることによって、一瞬にして変われる可能性がある。そのことをこの事例は示していると思います。

まとめ

人は変わるのが難しいと言われるが、
その人が本来持つ遺伝子がスイッチONすれば一瞬で変われる。

6

人類が「生きる」ための「合い言葉」

宇宙飛行士が感じ取った「生きている」地球とのつながり

人間の身体をつくる酸素、炭素、水素などの元素は、地球を構成する元素と同じ。そして、地球の元素は、宇宙からきています。そう考えると、宇宙の中にある地球という存在は、まさに奇跡的な存在です。人類はこの母なる地球の胎内で守られ育まれているといえます。

かつて「宇宙・生命・宗教に関するシンポジウム」でお目にかかった、アポロ九号乗組員のラッセル・シュワイカート氏から、こんな話を聞きました。

シュワイカート氏は、アポロ九号で月着陸船操縦士として、一九六九年三月に二四一時間の飛行をされました。宇宙から地球を見ると、真っ暗な天空の中に地球だけが明るく青く存在していて、そのコントラストがとても美しいのだそうです。

シュワイカート氏が初めて宇宙空間に出たとき、カメラが故障しました。船長から

「修理できると思うから、五分ほど待ってくれ」と言われ、宇宙空間で何もすることがない時間を過ごす羽目になったといいます。

会話もなくまったくの無音で完全な静寂。宇宙服で漂いながら、眼下に輝く青い地球を、ただ眺めていたそのとき、突然、何の前触れもなく「地球は生きている」という思いが、激しくこみ上げてきたのだそうです。

「宇宙空間から眺めると、地球は美しいだけでなく『生きている』と感じられた。そして自分の生命は、地球と繋がっていると感じた。地球に生かされていると思った。それは、言葉では言い尽くせないほどの感動的な一瞬だった」

「いま、こうして宇宙のここにいるのは、私であって私ではない。すべての地球の生命としての我々であり、いま生きている生命だけでなく、かつて生まれては死んでいったすべての生命、そしてこれから生まれ来るすべての生命を含んだ我々なのだ」

と彼は後に語っています。さらに、その偉大な生命の輪の繋がりに連なっている自分が「見えた」のだとも。そうした体験を、シュワイカート氏は、「自分の生命に改めて恋をした」という言葉で教えてくれました。

宇宙の神秘、謎も、現代の科学では解明されていないことがたくさんありますが、それは生命の神秘、謎も同じです。

三八億年前に地球上に生命が誕生してから、その遺伝子は脈々と受け継がれてきましたが、その間、決して地球は平穏な環境ではありませんでした。あらゆる生命が滅びてもおかしくない状況にも拘らず、生命は受け継がれ、人類が誕生しました。

ウイルスが誕生したのはおよそ三〇億年前といいます。片や我々ホモ・サピエンスが誕生したのはわずか二〇万年前。ウイルスは地球上での大先輩なのです。

しかも野生の哺乳類には、少なくとも三二万種類もの未知のウイルスが潜んでいると推定されています。

いま苦しい生活の中にある人は、ほんの少しでも夜空を見上げる時間をつくってみてください。そして、シュワイカート氏の言葉をぜひ思い出してほしいのです。

地球は私たちの命を誕生させ、守ってくれる唯一の惑星なのです。地球上のあらゆる生き物は、地球を離れて生き続けることはできません。そんな母なる地球に私たち人間は、わずか数百年ほどの間に、さまざまな無理を強いてきてしまいました。

いま私たちは地球という親から、行き過ぎた人間の営み、人間のあり方を本気で叱られているのだと思います。それは、まさに「生きている」地球という親が「痛み」

を感じながらも、それでもまだ私たちを思ってくれているからでしょう。

ひょっとしたら、いままでの現代人の生き方は、親である地球に対してわがまま放題な「子ども」のようなものだったのではないでしょうか。そして、子どもから大人になるタイミングが、まさにいまなのではないでしょうか。

私たち人類が、母なる地球とそこに生きるあらゆる命と共生し、ともに喜び合う生き方を選んでこそ、「人新世」が希望ある時代になると思います。

まとめ

人間は地球という「親」にわがまま放題の「子ども」。ともに喜び合ってこそ、「人新世」は希望の時代になる。

「生きている」状態って何？
休みなく働く細胞たち

生命とは何か？　生き物とは何か？　これが生物を科学的に研究している人々の最大の関心事です。しかし、生きている状態を物質のレベルで説明できるかと問われると、科学者はお手上げなのです。

そこで見方を変え、タンパク質や酵素といった物質のレベルよりもう少し大きな、細胞や臓器のレベルで観察すると、生きている状態の特徴が少し見えてきます。

生命科学者の清水博氏は、生物は「高度で動的（生物的）な秩序を自発的に発現する能力」を持っていると言います。

細胞などは、絶えず物質を取り込んで必要なものをつくり出し、不要になったものは分解して外に出すという作業を、一刻の休みもなく続けています。それはあたかも一つの生物のようです。

まさに生物は、「高度で動的な秩序を自発的に発現」しているのです。

しかし、生物が生命を失えば、ただちにその秩序を形成する能力も失われ、それぞれの要素に分解されます。それは生き物が死後分解される状態を見れば明らかです。

それはあたかも、洗面器に水をためてその上にインクを落とすと、インクが時間とともに秩序のない状態に拡散していく状態に似ています。これを見て「自然は『でたらめ』を好み、秩序立ったものを嫌う」と言う人もいるようです。

しかし、これは、生命のない自然のことを言っているのであり、生物が生きている間は、これとは全く逆のことが起きています。

私たちが食べたものは、いったんその構成成分にまでバラバラに分解されます。ところが、その後秩序のない状態に拡散するのではなく、遺伝子の情報に基づいて、酵素が生命活動に最も必要なすべてのタンパク質と酵素をつくり出します。

そして、この酵素の働きで脂肪や糖などもつくり出され、タンパク質と一緒になって身体を形づくっていくのです。その見事な働きは、姿や形が高度に秩序立ったものであり、「でたらめ」とは全く無縁であるといえます。

また、親から子へ情報が伝わる遺伝の仕組みや各遺伝子の働きについても次々に解明されていきました。先述しましたが遺伝子上には、生物に必要なあらゆる情報が書き込んであると考えられ、さらには、長い長い進化の歴史まで刻み込まれているのです。

遺伝子は、ほとんど無限の可能性の中からたった一つを選び出し、その指示どおりに身体がつくられていくのです。

まとめ

生命は、無限の可能性の中から導き出された秩序のたまもの。

「助け合い、譲り合い、分かち合い」こそ進化の「合い言葉」

次から次へと新しい段階を経て、より高度に秩序立ったものをつくり上げていくのが生物の特徴で、これは無生物界で秩序立ったものが無秩序のものへと流れていくのとは逆の現象です。生物界には無生物界とは違った仕組みや原理が存在するはずです。残念ながら、この原理については科学的にはほとんど分かっていません。

なぜなら、生物の特徴はその材料にあるのではなく、それを使ってより高度なものをつくり上げていく仕組みにあるといえるからで、その仕組みについては、ほとんど分かっていないからです。

この仕組みを解くカギは、「生物」についての新しい見方にあります。生物の個々の要素のみを考えても、それだけでは不十分で、個と全体の両方を総合的に捉える必要があります。しかも、その個と全体の相互作用に目を向けなければならないのです。

たとえば、血管の網の目が絶えず修復されるのは、血管の細胞が自主性をもって行動しなければ不可能です。さらに細胞は、集まって血管を形づくる際、細胞の分裂速度を調節したり、細胞の形を調節したりします。これは、「部分」である細胞が「全体」、ここでいえば臓器としての血管の性質を備えていることを意味します。

これらは、細胞や臓器の段階だけではなく、臓器と個人、ヒトと地球の関係にも当てはまります。つまり個の中に全体の性質を内包しているのではないでしょうか。すなわち、人間は大いなる自然の一部だということです。私たちは、その自然の秩序をつくりだすとともに自然に包み込まれ、そのおかげで生かされている存在です。

これは、自然と人間を分けて、対立したものとして捉える考え方ではありません。人間はその大いなる自然の秩序や理想の形成に参加し、そして包み込まれ、そのおかげで生かされているといえます。

大いなる自然は、人間やすべてのものの活動に協力し、守護をしています。この両者の関係は、人間としての自主性（心の自由）があるゆえ、一方的なものではなく、共に働き、共に喜びと苦しみを分かち持つといえるのではないでしょうか。

一九六〇年代に、地球そのものが生きている一つの大きな生命体という「ガイア理論」が、NASAの科学者ジェームズ・ラブロック氏によって提唱されました。当初は多くの批判に晒されましたが、現在は科学誌『Nature』でも取り上げられる学説となっています。

ガイア理論では地球が自己調整システムを持ち、生物は地球環境に適応するとともに、環境に働きかけて環境を変化させるという相互関係にあるものとされます。ここで地球を「生きている」とすると、生命の概念は大きく広がっていくと思います。

この理論も含め、人間と自然界を結ぶこうした新しい考え方は、対立と抗争、分断と個別化を進歩や進化の原動力とみなす考え方とは大きく異なっています。

助け合い、譲り合い、分かち合いという「三つの〝合い言葉〟」が、本当の進化の原動力だとする考え方なのです。

まとめ

人間と自然を分けて考えない。
私たちは自然の一部で、そのおかげで生かされている。

遺伝子ファーストでは説明できない利他的な振る舞い

道徳はヒトが生来持ち合わせているものなのでしょうか。もしそうであるならば、それは遺伝子に書き込まれているはずです。

ひと頃、「利己的遺伝子」という言葉が大きな話題になりました。イギリスの動物行動学者で進化生物学者のリチャード・ドーキンスが書いた『利己的な遺伝子』という本がきっかけでした。

この本の中でドーキンスは、ダーウィンの進化論における自然選択の実質的な単位が遺伝子であるという遺伝子中心主義を唱え、次のような説を展開しました。

「生命の主体は私たちを含めた生物ではなく、あくまで遺伝子であって、私たちは遺伝子が生命を繋いでいくために利用されている道具にすぎない」

そして、遺伝子は自分自身を残すためならどんな手段でも使う利己的な存在だと言うのです。

その主張の根拠になっているのは、細胞が自己複製することと、遺伝によって種が保存されることです。そのどちらも一言でいえば「コピー」ということになります。

つまり遺伝子の究極的な目的は、いまここではもちろん、世代を超えて自分のコピーをつくり続けることであり、生物の身体はそのために利用される一時的な乗り物にすぎないというのです。

生き物は子孫を残し自分の遺伝子を残そうとします。それは生得的なものでしょう。ここでいう遺伝子は個別の遺伝子であり、同じ種であっても「私の」遺伝子が生き残らなければ意味がありません。

もしそうであるならば、自分と同じ遺伝子を多く持っている血縁者を大切に思うことも、遺伝子によって操られているからなのでしょうか。

これは、いわば遺伝子ファーストの考え方であり、すべてが遺伝子のために働いていることになります。しかし、それは遺伝子の一面的な見方であり、それだけでは遺伝子の多様な働きを説明できません。

たしかに個体の維持と種の保存を図るためにコピーをつくるという意味では遺伝子

は「利己的」かもしれません。しかし、遺伝子は逆に、「利他的」に振る舞っているとしか思えない現象を見せることもあります。

そもそもヒトの身体は、成人で約三七兆個という想像を絶する数の細胞によって成り立っています。その一つひとつの細胞にはすべて命があります。

私たちの身体は最低でも三〇〇種類くらいの違った働きをする細胞からつくられています。臓器を一つとってみても何十もの働きの異なる細胞が寄り集まってできています。

それらは利己的に働いているわけではなく、お互いが助け合って機能しています。だから臓器としての固有の働きができ、さらに臓器同士が有機的に結びつくことで身体全体が生きているのです。

こうした助け合いがなければ、私たちは一瞬たりとも生きてゆけません。

いま地球の人口は七七億人を超えたと言われますが、いつもどこかで戦争をしています。戦争をしなくてもテロが頻発し、強盗や詐欺、いじめが横行するなど足の引っ張り合いやいがみ合いが絶えません。

ところが、人口の五〇〇〇倍もの数の生命（細胞）が一人ひとりの身体の中に寄り集まって、喧嘩をすることもなく自分の働きをしながら他の細胞を助けているのです。

これはすごいことだと思いませんか。なぜ自分のためだけでなく、全体のために働いているのでしょうか。どうして三七兆の細胞同士が争いもなく見事に調和しながら生きていられるのでしょうか。

医者は自律神経がそうさせているのだといいますが、自律神経を動かしているものは何なのか全く分かっていないのです。

まとめ

遺伝子は助け合って、利他的に活動している。
もし利己的な行動ばかりでは、生物は生存できない。

一〇〇％の利己性は生存本能と矛盾する

私はリチャード・ドーキンスのこの書籍が流行り、それが人間の本質、生物の本質であることが世界の潮流となって以来、ずっとその説に異論を唱えてきました。

遺伝子にも利他的な働きをする情報が存在し、助け合いのために必要な情報はDNAに書き込まれているという仮説を提唱してきたのです。

利他的な遺伝子を同定することは難しいかもしれません。しかし少なくとも、遺伝子には利他的な働きがあるという事実は無視するわけにはいきません。

ヒトはときに自分の命をなげうって見知らぬ他人を助けるという愛の行為をします。また、同じような遺伝子を持つ自分の兄弟姉妹よりも、遺伝子の異なる赤の他人である配偶者を大切にするということもあります。

これらは、生き物が利己的な遺伝子のみにコントロールされているとするならば不自然な行為でしょう。

古今東西の宗教には、人がなすべき黄金律ともいうべきものがあります。その代表は、「受けるよりは与えるほうが幸いである」という『新約聖書』の言葉（使徒言行録二十章三十五節）です。

もし人が一〇〇％利己的であるならば、他に与えることは自分の生存の可能性を低くするだけであり、明らかに本来の目的に合わない行為です。

リチャード・ドーキンスは、著書の中で、遺伝子の乗り物にすぎない生物が、なぜ協力したり利他的な振る舞いをしたりするのかを論じました。一見利他的な行為も動機は利己的であることを証明しようとしました。

ところが、その著書の最終章で彼は、「純粋で、私欲のない、本当の利他主義の能力が、人間のもう一つの独自な性質だという可能性もある」と述べています。彼は結局のところ、利己的遺伝子というものを証明しきれなかった、そう考えざるを得ません。

遺伝子や、それを含む細胞の利他的な働きとして注目されているのが「アポトーシス」と呼ばれる現象です。これは「細胞の自死」ともいえるもので、細胞が自ら働きを止めて分解されそれによって個体のより良い状態を保つ現象です。

たとえば手足の指は元々分離されていません。それが胎児として成長していく過程で、指と指の間の細胞が自死することで分離されます。

また、生体の中や表面で老化した細胞やウイルスなどに侵された細胞もやはり自ら死んでいきます。

ここで注意すべきことは、細胞はただ単純に死んでいくのではないということです。その死は生体にとって大きな意味と役割があります。それは、細胞が自ら死ぬことで新たな細胞が誕生するための材料になることです。

詳しくご説明すると、死んだ細胞では分解が始まります。細胞を構成していたタンパク質、脂質、糖質などの巨大分子は、死ぬことでそれぞれアミノ酸、脂肪酸、グルコースや乳糖などの単糖類のレベルまで分解されます。

ところが、分解はそれ以上先には進みません。なぜなら、新しい細胞がつくられるときの材料になるためです。それは見事なリサイクリング・システムといえます。

自らが死んで他を生かす材料になるというアポトーシスという現象は、まさに利他的遺伝子の働きだといえます。

かつては細胞の生成（誕生）のほうに重きが置かれていて、細胞の分解（死）は勝手に行われるものと考えられていました。ところが、再利用できる適切なレベルで分解をやめるための遺伝子がある、ということが分かってきたのです。

まとめ

細胞の死は、新しい細胞をつくるための材料。これは利他的遺伝子の働きといえる。

ヒトは生まれながらにして「善」なのか

脳の神経細胞に、「ミラーニューロン」と呼ばれるものがあります。ミラーニューロンとは、他者の行動を見てまるで自分自身が同じ行動をとっているかのように反応する神経細胞で、鏡を見ているように反応することから名づけられました。

ミラーニューロンは、手の運動、たとえば対象物を摑んだり操作したりする行動に特化した神経細胞を研究するために、マカクザルというサルの一種を使った実験によって明らかになりました。

ヒトが餌を拾い上げたのをマカクザルが見たとき、マカクザル自身が餌を拾い上げるときと同様の活動を示すニューロンが発見されたのです。その後の実験により、ミラーニューロンが脳内で存在する場所が明らかになりました。

また、ヒトの場合もサルと同じような行動が明らかにされています。たとえば誰かが生ビールのジョッキをおいしそうに口に運んでいるのを見ると、自分の脳の中でも同じことが起きています。

ミラーニューロンが注目されているのは、他者の行動やその意図を理解する手助けになるのではないかと考えられているからです。他人のことを我がことのとして感じる「共感」の能力などに関係しているのではないか、と考えられています。

それもまた、遺伝子の利他的な働きを示す一つの証拠といえるのではないでしょうか。

それでは、ヒトはいつから道徳的な振る舞いを好ましいことと感じるようになるのでしょうか。もしヒトに利他的な遺伝子があるならば、ヒトは生まれながらに利他的な振る舞いをするはずです。

私たちが道徳的でいいことだと感じることそのものの起源は何なのかを知るために、イェール大学心理学部のポール・ブルーム教授は、二〇一五年、赤ちゃんを被験者としてある実験をしました。それは次のようなものでした。

「月齢六か月、一〇か月の赤ちゃんに、赤い丸が丘を登ろうとしているアニメーション映像を見せる。

①その背後から黄色い四角がやってきて、赤い丸をやさしく丘の上に押し上げて助ける場面。
②前方から緑の三角がやってきて、赤い丸を下へ押し戻して邪魔をする場面。

次に赤ちゃんたちにそれらの図形のどれに手を伸ばすか、つまり好むかを調べたところ、ほぼ全員が親切な図形に手を伸ばした。

赤ちゃんは自分自身に影響しない行為について公平な判断を下す。それは大人が善いとか悪いとか評する行為に対する判断だ」

こうした実験から彼は、その著書『ジャスト・ベイビー　赤ちゃんが教えてくれる善悪の起源』（竹田円訳、ＮＴＴ出版）で、私たちの天性の資質として次の項目を挙げています。

・道徳観＝親切な行為と残酷な行為を識別する能力
・共感と思いやり＝周囲の人の苦しみに胸を痛め、その苦しみを消し去りたいと願う気持ち
・初歩の公平感＝資源の平等な分配を好む性向
・初歩の正義感＝よい行動が報われ、悪い行動が罰せられるのを見たいという欲望

また、大阪大学大学院の鹿子木《かなこぎ》康弘准教授は、乳幼児が示す原初的な同情は生来的にヒトに備わっている性質であると述べています。

乳児が他者にモノを与える行為自体に喜びを感じることを実証した研究では、生後二、三か月の乳児に、

①乳児自身がお菓子をもらったとき
②実験者が偶然見つけたお菓子を他者(人形)にあげる場面を観察したとき
③乳児自身が偶然見つけたお菓子を他者(人形)にあげたとき
④乳児が自分に与えられたお菓子を他者(人形)にあげたとき

という四パターンの働きかけをしたところ、自身のお菓子をあげるという最もコストの高い行為の際に、最も嬉しそうな表情を示したといいます。

まとめ

乳児でも、利他的行為を見ると嬉しそうな表情をする。

寛容性あるニホンザル

ヒトの直感が生来のものだと考えると、前項の研究結果から、ヒトは元々利他的であることが分かります。

東京大学大学院教授の市橋伯一《のりかず》著『協力と裏切りの生命進化史』（光文社新書）には、ヒトが複雑高度に進化した過程において「協力」が絶対的に必要だったこと、「高い共感能力」があったからこそヒトが協力できたと述べられています。

チンパンジーはゲノムレベルでヒトと一・二％しか違わず、その知能もヒトの幼児よりも高いほどですが、ヒトでは当たり前に行う「助け合い」を決してしないといいます。

まれに他のチンパンジーを助けることがあっても、助けられたほうは決してお返しをしないということです。つまり他人を信頼して思いやって助け合うというのはヒトだけに見られる稀有《けう》な性質だというのです。

しかし、大阪大学大学院人間科学研究所貝ヶ《かいが》石優《いしゆう》氏らは、ニホンザルの協力行動に関して大変興味深い研究をされています。

ニホンザルは一般に、群れでの順位が高いサルが食べ物を独り占めします。しかし淡路島に生息する集団は、一般的なニホンザルと比べて食べ物を巡る争いが起こりにくく、順位の離れたサル同士でも並んで一緒に食事ができるなど寛容的な行動をとるといいます。

貝ヶ石氏らは淡路島と一般のニホンザルの二グループで、二匹で協力しないと餌を手に入れることができない装置を使い、どれくらい協力をするかの実験をしました。

その結果、一般グループでの成功率が一％、淡路島グループでは五〇％以上という大きな差が見られました。

これらの結果から、氏は、「寛容性の高さは、社会の中で協力行動が生じるための必要条件であり、寛容性がヒトの協力社会の進化に重要であったことが示唆された」としています。

遺伝子には、同一種において同じ働きをする遺伝子の中に微妙な差がある場合があります。ニホンザルにもこのような遺伝子があり、この微細な差が寛容性の発現に影響を与えているのかもしれません。

現在地球上で繁栄している我々人類は、特に高い寛容性を持った遺伝子を進化において獲得した可能性があると言えます。

利他＝善、利己＝悪という二元論はもはや古い考えと言えるのではないでしょうか。そもそも生命の働きに対して利他的とか利己的というレッテルを貼ることも誤りかもしれません。

なぜならば、元に遡ればすべての生き物は皆繋がっているからです。そして、現存する生き物のすべては進化によって淘汰を潜り抜け残ってきたものです。寛容性とは、利他と利己を統合するキーワードかもしれません。

まとめ

ヒトが最も繁栄したのは助け合う力があったから。

広い心で「利己的」に生きる

前述したチベット仏教の指導者ダライ・ラマ法王は、九〇年代から環境問題についてのメッセージを世界中で発信してこられました。

その中で次のような言葉を発しておられます。

「私は、これまで『利他的行為』は人生がうまくいく方法だと述べてきました。それは、利他が結局は得をするのだという意味で、利己心に通じるものです」

「もし、利己的であることを捨てきれないのであれば、狭い小さな心ではなく、知恵をもって広い心で利己的になってください」

「人の幸福を考え、それを示し、人の苦しみを分かち合い、人の助けになれば、結局は自分のためになるのです。自分のことしか考えず人のことを忘れていると、いつかはうまくいかなくなります。これはとても単純な論理なのです」

環境問題を議論するのは、倫理的問題としてだけではなく、私たち自身の生存としての問題だからというのも法王の持論です。

「つまり、私たち自身の生存という利己心を満たすために、自然環境の保護と保存を進めているということになります。

その方法論としてさまざまな議論がなされているのです。あなたは他の人間の存在なくしては生きていけません。ですから、他の人々の健康と幸せに関心を寄せ、苦しみを分かち合い、救いの手を差し伸べるならば、結局はあなた自身が得をすることになるのです」

まさに、そこには、利他が利己心に通じるという基本的な考え方があると言うべきでしょう。それを、法王は「賢い利己心」と表現されました。

人は道徳的観点から利他的になれと言われても、なかなか他者にまで、ましてや見たこともない遠くの国の誰かのことや、北極の動物にまで思いを馳せることはできません。

何より自分がかわいい、自分がいま、いい思いをしたいというところから抜け出ることができないのが偽らざる人間の姿なのです。

しかし、それは自分という存在が全く孤立して生きているという誤解、もしくは視野の狭さによって真実が見えていないことによるものです。

もし、人間がほんとうに目の前のことしか見ることのできない生き物であるのならば、ごく近い将来、滅びてしまうことになります。おそらく地球はこの人類という、たった一種類のがんのような生物種を淘汰しようとするでしょう。

まとめ

「自分がかわいい」「いい思いをしたいから」からいかに抜け出すか。視野を拡げるか。

ホモ・サピエンスは弱かったからこそ生き残った

ダライ・ラマ法王によると、仏教では自然を「空《くう》」と捉えていると言います。

しかし、それは存在しないということではありません。「真に独立して存在するものはない」という意味であり、「あらゆる事象は、別の要因で存在している」ということです。

仏教の経典『般若心経』にある「色即是空《しきそくぜくう》」という言葉は、そのことを端的に示しています。

「色」は、宇宙に存在するすべての物質や現象のことであり、「空」は、固定した実体がなく空虚であるという意味です。

言葉を換えれば、私たちは、一人で存在しているのではなく、周囲の存在があって初めてここにいるということです。利他の心、優しさは、まずそのことをしっかりと認識することで生まれるのではないでしょうか。

法王はおっしゃいます。

「人間は社会的な動物です。生きていくためには、仲間が必要です。他の人間がいなければ、生きていくことは絶対不可能です。

それが自然の法則であり、自然の姿です。私は、基本的に人間の本質は優しいのだと深く信じていますので、人は環境に対して優しくあるべきだと思います」

人間が社会的な生き物であることは、人間の進化からも明らかです。

たとえば、ネアンデルタール人と我々ホモ・サピエンスは、二〇万年前は共存していたと考えられています。

にも拘らず、生き残ったのはホモ・サピエンスだけでした。なぜでしょうか。

かつて「ホモ・サピエンスが賢かったから」という説がありましたが、それは違うことが分かりました。ネアンデルタール人のほうが強靭な肉体を持ち、脳もホモ・サピエンスより大きかったのです。

絶えたもの、生き残ったものの違いはどこにあったのか。その一つは、ホモ・サピエンスが一五〇人もの集団で暮らしていた一方、ネアンデルタール人は二〇人くらいの家族単位で暮らしていたことです。

集団の大きさは、両者の脳の発達に影響を与えました。ネアンデルタール人は視野や視覚が発達しましたが、ホモ・サピエンスは前頭葉が発達しました。

ここは社会性を司《つかさど》る部位です。つまり、弱かったホモ・サピエンスは集団の力、協力することで進化を遂げたのです。

2章で紹介した人類学者の長谷川眞理子氏も、「共生的進化論」として、「最終的に生き残るものをシミュレーションすると、単に得ようとするだけでなく与える種が生き残る、つまり『足ることを知る』種が歴史的に長生きしている」という興味深い学説を提唱しています。

人類が進化し、生き残ったのは「協力」と「知足」のおかげだったと言えそうです。

まとめ

ヒトは、一人で存在しているのではなく、助け合うことができる社会的な生物である。

支え合いを裏付ける仏教の「縁起」と「縁の科学」

ダライ・ラマ法王はまた、「空」を「相互依存」と表現し、仏教はこの相互依存を掲げる唯一の宗教であると説かれています。自然を含めたすべての現象は相互依存で起こっており、それを仏教では「縁起」ともいいます。

ですから、仏教では多くの宗教に存在する唯一神のようなものは認めず、親と子も、人間同士も、自分と世間も、あるいはヒトと他の生物も、深い縁で繋がっていると考えるのです。

法王はこうした前提のもとで、仏教の考え方は、現代科学の基本概念と一致すると説かれます。

たとえば、陽子があれば反陽子があり、プラスがあればマイナスが必ずあります。科学は、そういうもので成り立っています。いわば、両者は「相互依存」しているのであり、仏教的にいえば「縁」で繋がっているということになるのです。

ダライ・ラマ法王の言われる「相互依存」を科学に当てはめれば、遺伝子もまた、利己的遺伝子と利他的遺伝子が相互依存するという縁で成り立っていると考えられるのではないでしょうか。

また、二〇一五年六月一八日、フランシスコ・ローマ法王は、環境問題について初の「回勅《かいちょく》」を出されました。回勅とは、ローマ法王が出す文書の中で最も重要なもののことをいいます。

そこでは、「人類が獲得してきた技術により、人間の生活は豊かになった」と科学技術の素晴らしさを認める一方で、

「技術に対する知識を持ち、それを使えるだけの経済力を持つ人々に大きな力を与えた。しかし、これほどの力を持ったことがないために、その力を上手に使う訓練がなされていない。だから、賢明に使われるという保証はない」

「技術開発には、責任感や価値観や良心が伴っていない。だから、バランスの取れた生産や富のよりよい分配や環境などには関心を示さない」

と、危惧を示されています。ローマ法王はこれに続けて、「今世紀にとてつもない

気候変動と生態系の未曽有の破壊が起き、深刻な終末を招きかねない」と、国際社会のすばやい行動を促しました。

化石燃料の過剰使用を戒め、アメリカなどの排出大国に削減のために努力することを求め、先進国の国民が「使い捨て」の生活様式を改めるようにと要請されました。

このように、ダライ・ラマ法王、フランシスコ・ローマ法王という、世界の「精神界」を代表する二人が、このかけがえのない地球と全人類を守るために積極的に動いてくださっています。

この事実は、まさに本書の最初から繰り返し触れてきた「人新世」の訴えと通じるものがあり、地球上の大問題が、科学的知見と精神的叡智のどちらかだけでは解決できず、両者の緊密な連携が必要であることを物語っています。

環境問題のような地球的問題の解決には、将来ますます発展する科学と技術の善用、そして、大自然の恵みに感謝する人間の叡智の両方が必要だと私も思っています。

もちろん、人類はこの非常事態に手をこまねいているわけではありません。さまざまな国際的取り組みがなされ、「持続可能な社会」という言葉を耳にすることも多くなりました。しかし、まだまだ多くの日本人は、環境問題をどこか他人ごとのように感じていると思われます。

チベット語の「レイワ」は「希望」という意味だといいます。新しい時代の元号が、いま私たち日本人に必要なことは、真にグローバルな地球人としての視点と、日本国民としての文化・文明を大切に守り伝える視点ではないでしょうか。

この統合的視点を持って、新しい時代をつくっていかなくてはいけません。日本の新しい時代が世界の希望の時代になるためにも、日本人には自らの意識を変え、世界を変えていく使命が与えられていることを自覚しなくてはいけないと思います。

チベット語でもいい意味を持つことを大変喜ばしく感じています。

まとめ

地球の危機は、科学と宗教の相互依存の「縁」による科学的知見と精神的叡智によってこそ救われる。

7

Withコロナの危機の時代に日本人が果たす役割

中村哲医師が、世界で尊敬される理由

二〇一九年一二月、アフガニスタンで医療や人道支援に尽力していた「ペシャワール会」代表の中村哲医師が、現地で銃撃されて亡くなりました。

享年七十三、志半ばでの悲報です。現地では、中村医師を悼《いた》む集会が開かれ、ろうそくを手に集まった住民からは悲しむ声が、国内外からは追悼の声が上がりました。

一九八四年、ハンセン病根絶のプロジェクトに参加した中村医師は、その後、診療所を開設して現地の医療に貢献していました。

そんな中、二〇〇〇年には現地で大干ばつが起こり、国民の半分以上が被災しました。飢えだけでなく、汚水を飲んだために赤痢や腸チフスに罹《かか》り亡くなったのです。

飢えと渇きは薬では治せません。中村医師は、こうした状況に、「医療よりもまず水だ」と医療活動を超えた復興支援を決断しました。彼の遺伝子がさらにＯＮしたのでしょう。井戸を掘り始め、「百の診療所より一本の用水路を」と、用水路の建設に挑み、「カレーズ（地下用水路）もかれーるんだよ」などとダジャレを口にしていたといいます。

その甲斐あって、砂漠は緑化されました。現在一万六五〇〇ヘクタールで灌漑《かんがい》が行われ、六五万人の生活が維持されています。

彼は「家族と一緒に暮らし食べていければ紛争も収まる」と言い続けましたが、その活動に対する脅しは激しくなりました。そこで、彼は日本人スタッフを全員帰国させ、たった独りで現地に残りました。

命を使うと書いて「使命」といいます。中村医師の活動の原点は医療ですが、医師としての活動をはるかに超え、まるで与えられた使命を果たすかのように行動し続けました。彼の生き方は日本人の誇りであり、私たちの利他的遺伝子をONにしたに違いありません。その尊い遺志が、日本人に受け継がれていってほしいと私は切に思います。

このような日本人の利他的遺伝子の発現は、その歴史の中でいくつもの事例を挙げることができます。よく知られているのは、第二次世界大戦中、当時リトアニアの領事代理だった杉原千畝《すぎはらちうね》氏でしょう。

一九三九年、ナチス・ドイツ軍がポーランドに侵攻し、ユダヤ系ポーランド人はリトアニアへ逃げ込みました。そして通過ビザを入手することができれば、日本経由で他の国へ移住できるという噂が広がり、翌四〇年、ビザの発給を求める数千人が日本の領事館を取り囲んだのです。

日本はドイツとは同盟関係にありましたが、ビザの発給を拒めば彼らには死しかありません。杉原氏は発給を決め、彼らを国外に逃がしたのです。彼らはシベリア鉄道でウラジオストクへ行き、船で敦賀に到着しました。

またもう一人、ユダヤ人の救出に当たった人がいます。関東軍ハルビン特務機関長だった樋口季一郎少将です。

一九三八年三月、ユダヤ難民がシベリア鉄道を経由して、ソ連と満洲の国境の駅オトポールに集まっていました。一説ではその数、二万人といわれています。彼らは満洲から上海へ行こうとしたのですが、満洲国はドイツを憚って入国を拒否しました。

凍えるような寒さの中、ユダヤ人たちは駅で立ち往生していました。そんな彼らを見かねた樋口少将は、満洲国と交渉し、救援列車を調達して彼らを救出したのです。

さらに言えば、日本は戦争中、東南アジア各国の独立のきっかけをつくったという側面もよく指摘されます。日本は占領下でも、決して一方的な支配を押し付けず、その国の技術力を高めたり、大国に立ち向かう勇気を与えたりしたというのです。

もちろん戦争は忌むべきことであり、戦後教育の中で、日本は悪者だと教えられてきました。しかし、戦争にはさまざまな側面があります。戦いに至った両国それぞれにそれぞれの事情があり、戦わざるをえなかった不幸な経緯があります。

歴史にはそうした受難の時期が避けられず、大災害もパンデミックもその例にもれません。しかし、そうした受難の時代にこそ、苦しさの中で他を思いやる利他的遺伝子が必要であり、日本人にはその遺伝子が伝統的に備わっていると思われるのです。

まとめ

苦しいときこそ、他者を思いやる遺伝子をON。

利他的行動こそ日本のお家芸だった

こうした日本人の伝統的な利他的行動は、歴史の中でたびたび語り継がれてきました。ただ、そのつど散発的に伝えられるケースが多いので、ここで該当する歴史的事例を、いくつかまとめて挙げてみたいと思います。

＊御宿沖メキシコ船救助……

関ヶ原の戦いから九年後の一六〇九年、現在の千葉県御宿町の沖合で、フィリピンからメキシコに向かっていたスペイン船サン・フランシスコ号が嵐の中で座礁しました。そのとき、この地の住民や海女たちが乗組員を救助したという話が伝わっていて、現場近くには記念碑も建てられています。

その説明板には、乗組員三七三人のうち三一七人を救助したこと、海女たちが、寒さに震える彼らを素肌で温めて命を救ったなどという言い伝えが記されています。

この話は、明治時代の外交に影響を及ぼしました。メキシコは、他国にさきがけて日本と平等の友好通商条約を結んでくれたのです。不平等条約に苦しんだ日本にとって、これは最高の恩返しの印になったことでしょう。

また、記念碑周辺にメキシコ記念公園が整備された一九七八年、当時のメキシコ大統領、ホセ・ロペス・ポルティリョ氏が御宿を訪問しています。

＊伊豆戸田沖ロシア船救助……

それから二四〇年余り後の一八五三年、ロシア使節のプチャーチンが通商を求めて長崎に来航し、さらに翌年、下田にやってきました。このとき大地震が発生し、停泊中のロシア船ディアナ号が座礁して、新船建造を要する事態になりました。

造船場所の戸田《へだ》には、洋式造船術を知らない日本の船大工らも参集して、新船「ヘダ号」は完成し、彼らは無事帰国できたということです。設計から竣工までの期間、戸田村民との友好が伝わっています。

村民たちは「ロシア人とつき合ってはいけない」とされていたにも拘らず、彼らの世話をしました。船に同乗していたマホフ神父は「私たちを歓迎してくれて、生活必需品から住居まで提供してくれた」と記しています。

この話もやはり本国に伝わっていて、一九九二年にはプチャーチンのひ孫が来日し、戸田造船郷土資料館などを訪れています。

＊トルコ船エルトゥールル号の救助……

トルコ人の多くが親日家と言われていますが、そのきっかけになったのは、明治二三（一八九〇）年、当時のオスマントルコからの親善使節を出迎えたときのトルコ船座礁事件です。帰国の途についた軍艦エルトゥールル号が、和歌山県串本町の大島沖で沈没してしまったのです。

事故を知った村民たちは、暴風雨の中、救助活動にあたり、夜を徹して救護しました。村民たちは、嵐のために乏しくなった食糧を提供し、亡くなった人々は丁寧に埋葬して、故国の方角に向け墓標を建てました。全国から義援金も集まりました。

この話もまた現在まで伝わっていて、それから九五年も経った一九八五年、イラン・イラク戦争中、イラン在住の日本人を救出するための対応が遅れていた日本を助けてくれたのはトルコでした。トルコ航空の飛行機を二機出してくれて、二一五人の日本人全員を脱出させてくれたのです。

＊ウズベキスタンの日本人捕虜の献身……

この話の舞台は中央アジアに位置するウズベキスタンです。ここには中央アジア最大のオペラ・バレエ劇場があるのですが、その外壁のプレートには、劇場の建設にあたり、第二次世界大戦で旧ソ連により強制移送された日本人捕虜が貢献したことが記されているのです。

当時、この地には二万五〇〇〇人が移送され、八一三人が亡くなりました。しかしこの過酷な環境の中、日本人は劇場建設にあたって何一つ手を抜くことなく、みごとな劇場を完成させました。

現地の人々は、好意と尊敬の念を持ち始め、パンや果物を届ける人もいたそうです。

＊太平洋戦争における英国海軍の救助……

一九九八年、天皇陛下の訪英にあたって、現地に渦巻く反日運動を抑えたのは、元英国海軍中尉、サムエル・フォール卿の体験談でした。

ときは、一九四二年のこと、ジャワ島のスラバヤ沖で撃沈された英海軍の巡洋艦エクゼター号が漂流中、日本海軍の駆逐艦「雷《いかずち》」に発見されます。最期のときを覚悟した英海軍漂流者でしたが、「雷」は、「救助活動中」の国際信号旗をかかげて彼らを救助したのです。

そのときの艦長・工藤俊作中佐は彼らに衣服や靴を提供し、流暢《りゅうちょう》な英語で勇敢に戦ったことをねぎらい、日本海軍の名誉あるゲストだと言ったそうです。

この体験談により、英国のジャパンバッシングは次第に終息したのでした。

まとめ

歴史をひもとくと、日本人には利他的精神が根づいていると気づかされる。

危機に立たされた時こそ日本人らしさが際立つ

日本に好意を持つ親日国が多い一方で、中国という国は、とても反日感情の強い国です。しかし、その中国が日本への評価を変えるような出来事がありました。

一つは、二〇〇八年五月一二日、中国・四川省でマグニチュード七・九〜八・〇の大地震があったときのことです。死者の数は九万人ともいわれ、学校なども無残に倒壊してたくさんの小中学生が亡くなりました。

あのときニュースを見ていて、犠牲になった方やご家族の悲痛さを思うと、私も心が痛みました。世界各国から救援隊が駆けつけましたが、中でも日本の救援隊に対して、反日感情の強い中国人の間からも絶賛の声が上がりました。

そのきっかけとなったのは一枚の写真でした。母子の遺体を発見したときのものです。日本の救援隊は全員が整列して、二人の遺体に黙禱《もくとう》していました。

失われた命に対して敬意を表するこの救援隊の態度に、普段は反日感情が溢れるインターネット上でも、「日本を見直した」という声が広がったのです。

死者を前にして黙禱したり合掌したりするのは、日本人にとって当然のことですが、こうした日本人の精神に根づいているものが中国の人々の心にも響いたのでしょう。誤解も多々ある日中関係に対して、相互理解の一つのきっかけをつくってくれた出来事でした。

もう一つが、東日本大震災時に宮城県女川町であった話です。女川町は人口一万人ほどのうち一割の人が、亡くなったり行方不明になったりしました。町内には、一〇〇人くらいの中国人研修生がいましたが、彼らは全員無事でした。周辺の人々が必死になって彼らを救ったからです。

ある水産加工会社には二〇人の中国人研修生がいました。地震の後、宿舎付近の小高い場所にいた研修生たちの所へ、専務が走ってきました。「津波が来るぞ！」と叫んで、専務は研修生たちを高台に避難させました。

その後、専務は宿舎へ取って返しました。家族の安否が確認されていなかったのです。しかし、宿舎は津波に流され、専務も戻ってきませんでした。

専務の兄にあたる社長は、自分の家が流されたにも拘らず、研修生たちが寝泊まりできる場所を一晩中探し歩きました。また、別の会社の社長と部長も、自分たちの家族の消息を確かめる前に、五人の研修生を山頂に避難させました。

まさに、利他的遺伝子の働きです。自分の身や家族の安全さえ顧みず、中国人研修生を救おうとした女川町の方々の行為は、中国で大絶賛されました。

さらに、私たちを感動させたのは、大震災後の自衛隊員の活動です。自分の家族や親しい知人が亡くなったり、大きな被害を受けたりした隊員もいたでしょう。

命がけの危険な任務、壮絶な現場での被災者捜索活動などにあたりました。いかに職務とはいえ、苛酷を極めたに違いありません。まさに利他的な行為です。

また、『明報』という香港の新聞に、香港のある夫婦の被災体験が紹介されています。この夫婦は、ちょうど震災の日、旅行で石巻に来ていました。送迎バスを待っていたところ、二人は大きな揺れに遭遇したのです。そのため計画を変更して仙台へ行こうと、JRの駅まで戻りました。

しかし、電車はストップし、バス停には長蛇の列ができていました。サイレンが鳴り響き、日本語のできない二人は、どうしたらいいか分からず途方に暮れていました。

そんな彼らにＪＲの職員が、津波が来るから早く高台へ逃げろということを、「high! high!」と必死に伝え、二人は何とか高台に逃げることができました。

そして、ある一家に五泊お世話になるのですが、皆で少ない食事を分け合い、励まし合い、忘れられない時間を過ごします。そのうえ一家は、仙台までの車を手配してくれて、さらにたくさんのおにぎりまで持たせてくれたというのです。

「私は恐怖心から泣いたりはしません。彼らに感動して泣いているのです」

そんな言葉で、この記事は締めくくられています。

まとめ

「お互いさま」の心が根づいている日本。困難なときこそ、利他的遺伝子がＯＮになる。

日本人であることの誇りと喜び

香港の報道に続き、台湾の『看雑誌』には次のような記事も紹介されています。

「大地震の発生後、日本国民は乱れることなく冷静さを保ち、マナーのよさは日本社会のよさを表し、他国で見られがちな混乱や秩序のなさ、強奪といった問題行動は一切見られなかった。

危機の中において、法に従い、秩序を守る気高さこそが、日本人の素晴らしい国民性をより顕著に表していた。

これは、国際メディアがこぞって絶賛している点である。(中略)いったい、どんなパワーが日本人のこういった高度な秩序と自制力を成しえるのだろうか」

被災者が片づけ作業中に見つけた他人の金庫を、警察署や役所に届けたというケースも数多くあったそうです。多くの日本人にとっては、それは当然のこととされていますが、来日する旅行者も、一様に驚いているといいます。

もちろん、ごく少数の不届き者による火事場泥棒のようなこともあったようです。しかし、他国からすれば考えられないような小規模なものでした。また、モノ不足による便乗値上げもほとんど行われませんでした。

我が身や家族のことを顧みず中国人を救った女川町の方、おにぎりを香港の夫婦に持たせた石巻の方、そして、こんなにも大変なときに冷静に対処できた人たち。彼らは日本人の誇りです。

日本人同士で日本人はすごいとほめ合っても説得力がありませんが、こうやって外国の方が感嘆の声を上げてくださると、私たちは自分たちが日本人であることに喜びを感じることができます。

私たちは日本人として、もっともっと胸を張って歩いていいのです。先の震災は、ほんとうに悲しい出来事でしたが、その半面、日本人の素晴らしさを引き出してくれたのではないでしょうか。

また、あの震災では、東京近辺でもたくさんの帰宅困難者が出るなど非常事態となりました。そんな中、東京ディズニーランドとディズニーシーの入場者への対応も、各方面で賞賛されています。

入場者数七万人ほどのうち、約二万人が帰宅困難となり、園内で一夜を明かしました。これだけの人数がいれば、収拾のつかないようなパニックになっても不思議ではありません。

しかし、スタッフたちの対応がよくて、スムーズに事が進んだというのです。ディズニーランドとディズニーシーでは、危機管理がしっかりとなされていました。一〇万人の入場者、そこに震度六の地震が起こるという想定のもと、年に一八〇回もの災害対策訓練が行われているそうです。

ですから、あの震災のときも、スタッフは慌てることなく対応できたのでしょう。スタッフはすぐに持ち場を回り、お客さんがパニックにならないように声を掛けました。ミッキーやミニーたちも、レストランのテーブルの下で泣いている子どもたちの背中をさすったり、優しく声をかけたりして気持ちを落ち着かせました。

スタッフの人たちも、恐怖や不安を感じていたに違いありません。しかし、自分たちのことよりもお客さん第一という精神が徹底されていて、いざというときに利他的遺伝子が大いに活躍したのだと思います。日頃の訓練というのも遺伝子をONにさせる重要な要素だと言えるでしょう。

人間というのはこんなに温かかったのだと思えることが、震災後には山ほどありました。人間が持っている利他的遺伝子が、震災という大きな刺激を受けてＯＮになったことで、そういう感動がたくさん生まれたのです。

私は、震災によって多くの日本人の利他的遺伝子がＯＮになったと思います。その出現の仕方に違いはありますが、少しでも人の役に立ちたい、社会のためになりたいと誰もが考えたはずです。

こうしたエピソードに触れるにつけ、私は日本人としての誇りが高まっていくのを感じます。

まとめ

人間とはこんなに温かかったのだ、と日本人こそが証明している。

日本と日本人の不思議

日本というのは不思議な国です。イギリスのBBC放送が、二〇〇六年から三三か国、約四万人を対象に実施した世界各国の評価についての世論調査結果を見ると、日本の不思議さが浮かび上がってきます。

この調査では「世界に良い影響を与えている国」として、日本は二〇〇六年から三年連続で一位になりました。二〇二〇年でも、カナダ、ドイツに次ぐ三位です。

では日本人は日本をどう評価しているのでしょうか。二〇一三年の調査では、日本人が日本を肯定している割合が四五%でした。これに対して他国では、カナダの八四%を筆頭に六〇%以上、明らかに日本人は自国を高評価していません。

また、日本財団が二〇一九年に「国」や「社会」をテーマに行った「第二〇回一八歳意識調査」の結果はもっと深刻でした。対象は、米国、英国、ドイツ、中国、インド、インドネシア、ベトナム、韓国、日本の一七～一九歳、各一〇〇〇人の若者です。
＊「自分を大人だと思うか」＝中国、インド、ドイツ、英国、米国がほぼ八〇％以上を占めるのに対し、日本は二九・一％と最下位。
＊「自分は責任がある社会の一員だと思うか」＝他国が九〇％前後、日本は四四・八％で最下位。
＊「自分で社会を変えられると思うか」＝インド、中国、インドネシア、米国が六五～八三％、日本は一八・三％で最下位。
＊「将来の夢を持っているか」＝他国がほぼ九〇％以上、日本は六〇・一％と最下位。
また、自国の将来についての質問では、「良くなる」と回答した人が過半数を占めたのは中国の九六・二％を筆頭に、インド、ベトナム、インドネシアでした。米国、英国、韓国、ドイツは二〇～三〇％と低く、日本は九・六％と最下位で、「悪くなる」が三七・九％と大きく上回ります。

ただし、希望が持てる結果もあります。「自分の国が将来どのような国になってほしいか」の項目では、「平和な国」が最多で六四・七％で一位です。次いで、「国民の幸福度が高い国」「経済的に豊かな国」が続きます。また、どのようにして国の役に立ちたいかは、「きちんと働き納税する」が三一・一%と最多で他国と比べて一位です。次いで、「学業に励み立派な社会人となる」「ボランティアをする」が続きます。

これらの結果から、他者を思いやる、真面目な日本人の気質の遺伝子は次世代にきちんと受け継がれていると思われます。これらの結果から見えてくる課題は、若者の意識の低さの原因となっている教育のあり方と、私たち大人が生み出した負の遺産の迅速な解決にあるのだと私は思います。

また別の世論調査によると、二〇一〇年の日本は、世界で最も恵まれた国の一つであるにも拘らず、主観的な幸福度は世界の九〇位でした。

ところが、国連の「世界幸福度ランキング二〇一九(一五六か国)」によると五八位にまで上昇しました。私たちに何があったのでしょうか。

二〇一一年、あれほど大変な大震災に見舞われたにも拘らず、秩序立った行動をし、自分を犠牲にしてまで人を救おうとした人もたくさんいました。また、震災後には八〇万もの人がボランティアで被災地に駆けつけました。

その日本人の姿に世界の人たちが驚愕し、賞賛しました。私たち日本人の間でも、震災によるさまざまな出来事によって、日本人の素晴らしさを発見し、日本という国を見直した方も多いのではないでしょうか。

笑いや喜びで遺伝子がONになるというお話をしましたが、遺伝子は逆境によってもONになります。私は、東日本大震災によって多くの日本人の遺伝子がONになったのだと思います。

それは、日本という国の遺伝子がONになり、そのことで世界に大きな貢献をしていくきっかけでもあります。

まとめ

日本人の素晴らしさを見つめ直せば、もっともっと世界に貢献していける。

日本人の利他的精神をノーベル賞受賞者が愛するわけ

古い話になりますが、一九二二年、アインシュタインが来日しました。直前にノーベル賞受賞が決まったので、日本中が「天才物理学者が来日する」と熱狂しました。彼は『改造』という雑誌に寄稿した「日本における私の印象」というエッセイで次のように述べています。

「日本には、われわれの国よりも、人と人とがもっと容易に親しくなれる一つの理由があります。それは、みずからの感情や憎悪をあらわにしないで、どんな状況下でも落ち着いて、ことをそのままに保とうとするという日本特有の伝統があるのです。(中略)個人の表情を抑えてしまうこのやり方が、心の内にある個人みずからを抑えてしまうことになるのでしょうか?　私にはそう思えません。

この伝統が発達してきたのは、この国の人に特有な感情のやさしさや、ヨーロッパ人よりもずっと優れていると思われる同情心の強さゆえでありましょう」

「日本では、自然と人間は一体化しているように見えます。（中略）この国に由来する全てのものは、愛らしく朗らかで、自然の恵みと密接に結びついています」

また、『新版日本賛辞の至言33撰　世界の偉人たちが贈る』（ごま書房新社）にも、アインシュタインの次のような言葉が紹介されています。

「日本人は、これまで知りあったどの国の人よりも、うわべだけでなく、全ての物事に対して物静かで、控えめで、知的で、芸術好きで、思いやりがあって、ひじょうに感じがよい人たちです」

「日本は絵の国、詩の国であり、謙遜の美徳は、滞在中最も感銘をうけ忘れがたいものとなりました」

日本、そして日本人は、あのアインシュタインにここまで言ってもらえた国であり国民です。私たちも、もっと自信を持っていいのではないでしょうか。

たしかに、日本の風土を象徴する言葉、非常に奥深く利他的な意味合いの言葉がたくさんあります。たとえば、二〇〇五年に来日したノーベル平和賞受賞者のワンガリ・マータイさんによって、「もったいない」という日本語は「MOTTAINAI」と日本語そのままの発音で世界に広まりました。

マータイさんは、限りある資源を守り、育てることが二一世紀の平和活動に繋がるという思想のもと、「リデュース（Reduce）＝ゴミを減らす」「リユース（Reuse）＝限られた資源を繰り返し使う」「リサイクル（Recycle）＝資源を再利用する」の、「3R運動」に取り組んでいました。

その中で、「もったいない」がこの三つを一言で表現できる言葉であることに感銘を受け、さらには、かけがえのない地球に対する「リスペクト（Respect）＝尊敬の念」というもう一つのRが込められていることに気づいたと、後に述べています。

「もったいない」というのは、単に長く使えばいいというものではありません。限りある資源を大切にし、地球や自然への尊敬の念を持つことは、次世代への命の継承を大事にすることに繋がるのです。その意味では、いわば前に述べた「アポトーシス」、つまり「次に繋げる死」が必要なのです。

細胞の死に方には、大きく分けて二種類あります。怪我をしたり血行不良になったりして細胞が死ぬことを「ネクローシス（壊死）」といい、無残な死に方になります。

もう一つは、オタマジャクシがカエルになるとき尻尾がなくなるような細胞の死に方で、「アポトーシス」といい、次の「生」に繋がる死です。

つまり「もったいない」には、オタマジャクシの尻尾が消えてカエルになるような、次の世代や他の人への連続性、つまり利他的遺伝子の働きが必要なのです。

日本の文化には、それが残っています。代表的なものが伊勢神宮の式年遷宮です。伊勢神宮は、二〇年ごとに社殿を新築します。飛鳥時代から続けられている行事です。これは、それこそ「もったいない」ではないかと思われるかもしれません。

しかし、二〇年ごとに建て替えることで建築の技術が次の代に継承され、また古い社殿の資材は、神官内や全国の神社造営の材料として再利用されます。

こういう風習があるからこそ、一三〇〇年経っても同じ建物が伊勢の地に建つことになるのです。見事な日本人の知恵です。

まとめ

伊勢神宮には、サスティナブルな社会への指針がある。

「ありがとう」は「めったにない」ということ

「ありがとう」を漢字にすると、「有り難う」。つまり、「有り難いこと＝めったにないこと＝奇跡」という意味があり、もともと仏教に由来しています。

あるとき、お釈迦様が阿難という弟子に、人間に生まれたことをどれくらい喜んでいるかと尋ね、答えに窮していると、お釈迦様は次のようなたとえ話をしました。

「果てしなく広がる海の底に、目の見えない亀がいて、一〇〇年に一度、海面に顔を出す。海には、小さな穴がある一本の丸太が漂いながら浮いている。

阿難よ、一〇〇年に一度浮かび上がるその亀が、その拍子に、穴に頭を入れることがあると思うか」

「とてもありえないことです」

「ところが阿難よ、私たちが人間に生まれることは、亀が丸太棒の穴に頭を入れることがあるよりも、難しいことなのだ。有り難いことなのだ」（「盲亀浮木の譬え」）

私たちは人間として生まれてきたことを当たり前のように思っていますが、じつは何億年、何兆年に一度しかないような稀《まれ》なことなのです。

「おかげさま」というのも他の国にはない言葉です。

あるアメリカ人に「おかげさま」を教えたら、「何のおかげですか？」と不思議がられましたが、日本語の場合は、誰のおかげか分からなくても通じます。

両親、ご先祖様、太陽、水、空気、地球、大自然と、森羅万象さらにサムシング・グレートのおかげです。

日本人は古来、すべてのものに神を感じていました。目に見えないものに対する敬《けい》虔《けん》な気持ちをもって生きてきた民族です。ですから、何に対しても「おかげさま」と言うことができるのでしょう。

また、「いただきます」も、いつまでも残したいと思える美しい言葉です。

しかし、親から子どもへと伝えていきたいこうした言葉も、本来の意味を知らないまま、廃《すた》れていきそうな気配があります。

いつだったか、ある小学校に、「給食費をちゃんと払っているのだから、うちの子にいただきますと言わせないでほしい」と申し入れたお母さんがいたという話を聞きました。

私は、作り話だと思ったくらい驚きましたが、このお母さんの言い分に同調する親もいたと聞いてさらに驚いてしまいました。おそらく、「いただきます」という言葉の意味が伝えられていないからなのでしょう。

「いただきます」は、自分の命のために、他の生物の命を「いただいている」ことを、食事のたびに意識し、感謝する言葉です。「あなたの命をありがたくいただき、自分の命を長らえさせていただきます」という意味なのです。

その命を育んでいるのは「大自然」です。ですから、他の生物への感謝は、偉大な自然への感謝に繋がっています。

そしてもう一つ、忘れてならないのは「ごちそうさま」という言葉です。漢字では「ご馳走様」と書き、「馳」も「走」も「走る」という意味があります。

すなわち、客を迎えるために、走り回って美味しいものを探してもてなしたことに由来し、その働きに対して「ご馳走様」と客が感謝の意味をこめて使ったと言われています。

「いただきます」も「ごちそうさま」も日本独特の「食」に対するあいさつです。西欧では食前に感謝の祈りを捧げますが、それは、食事を与えてくれた神様への感謝であり、日本の「いただきます」という習慣とは似て非なるものといえるでしょう。ですから、西欧には「いただきます」「ごちそうさま」に相当する言葉はなく、日本映画の英語字幕翻訳では、この言葉が出てくると、「Let's eat」「Thank you!」などが使われているようです。

まとめ

「ありがとう」「おかげさま」「いただきます」「ごちそうさま」……。遺伝子の美しさは言葉に表れる。

自国ファーストを避け「つつしみ」を尊ぶ

二〇一五年四月六日、ダライ・ラマ法王は、東京大学名誉教授・山本良一氏、横浜国立大学名誉教授・宮脇昭氏、そして私という三人の日本人科学者と、環境問題に関する対話をしました。

法王はそこで世界の人口増加や貧富の格差、気候変動などにとても強い懸念を示されました。そして、私たち先進国が自身の生活様式を見直すことで貧しい人たちの生活水準が向上し、資源がより公平に使われるのではと提案されました。

「戦争は人間の歴史の一部ですが、戦争をつくり出す概念である『自国』『自国民』『我々』『彼ら』は、もはや私たちが生きるグローバルな世界においては意味をなしません。すべての人類が、幸せに生きたいのだということを思い出さなければなりません。

私の未来は他者に依存し、他者の未来もまた私に依存しています。日本は核の攻撃を受けた唯一の国として、率先して核兵器に反対してきました。私は日本が核兵器に反対することを強く支持しますし、是非それを続けていただきたいと思います」

法王の発言を受けて私もまた、「問題の一端は私たちが自分や自国だけのことを考える点にあり、私たちは、質素、かつ謙虚に生きていくべきだ」と申し述べました。

「一人の人間は三七兆個の細胞を持っています。天文学的な数の細胞が臓器になり働いていています。細胞にはお互いを支え、助ける仕組みが組み込まれているのです。細胞は見えますが、お互いを支える愛や思いやりといった心は目に見えない。本当に大切なものは見ることができないのかもしれません」

対話の終盤、環境宣言が日本語と英語で読み上げられましたが、その内容はこの惑星の自然環境が深刻な危機に直面しているという共通見解に始まり、次のように実践のためのガイドラインを明示するものでした。

一、地球環境に対する深い関心と倫理観ある行動を保ち、環境教育や意識を高める活動を実施することで国際的な倫理的論壇を形成する。

二、一人あたり三本の木を植樹し、その植樹支援を行って地球の緑を取り戻す。
三、笑顔と祈りを通して利他の遺伝子をONにし、つつましく自然全体と調和して生きる。

この日の対話を通じて、私は、二一世紀の日本が世界規模で活躍することを法王が非常に期待されていると強く感じました。おそらく、日本人が大自然を敬う気持ちを持ちながら、科学や技術を発展させてきた唯一の国だからなのでしょう。

また、二〇一九年三月発売の『TIME』誌の表紙は、頭から法衣を被ったダライ・ラマ法王でした。少し痩せたようにも見えましたが、その眼にはどこまでも深い慈悲心が宿っているようでもありました。

法王のロングインタビューのタイトルは「THE SURVIVOR」でした。「サバイバー」とは「生存者」「生き残り」「逆境に負けない人」という意味です。

チベット国王であり、チベット仏教最高指導者である彼が、中国の侵略の手を逃れ、インドのダラムサラに亡命してから六〇年余り。その長きにわたって法王は、平和への闘いを続けてきたのです。ダライ・ラマ法王は、中国政府にチベットの分離独立を求めることなく、代わりにチベット人による自治と宗教・文化の自由を求めてきましたが、それが叶うことはありませんでした。

この六〇年余りの期間、チベットに住む漢人（中国人）の人口はチベット人よりも多くなりました。チベット語やチベット独自の文化、宗教は迫害され、チベット国土の自然は破壊されています。

法王の最大の関心事は、もちろん祖国チベットの自由と平和でしょう。しかし同時に彼は、チベット仏教の最高指導者として、グローバルな視野から、世界情勢や宗教対立、地球環境について提言を続けています。

そして、分断されたすべての人類の幸せのために祈り、行動し、人々に希望を与え続けています。

まとめ

大自然を敬ってきた日本、科学や技術を発展させてきた日本。
だからこそ、日本には世界を救う役割がある。

人類の正念場、二一世紀は日本の出番である

ダライ・ラマ法王はかねてから科学に関心が高く、以前から、宇宙論、神経心理学、量子物理学などを学ばれ、およそ三〇年にわたって、チベット亡命政府のあるインドのダラムサラや欧米の一流大学で、科学者との対話を定期的に行っておられます。

私も二〇〇四年にダラムサラに招かれ、一週間ぶっ通しで対話をしました。そのときは非公開で人数が非常に少なく、ダライ・ラマ法王を真ん中にして八人ぐらいの科学者が車座になってしゃべり、二〇から三〇人の招待客が参加していました。

これは余談ですが、あるとき、招待客の中のお一人が、私に「遺伝子と笑いの研究をどうしてしているのか」と尋ねてきたことがあります。

お名前を聞くと「リチャード・ギア」と名乗られました。私は、彼がハリウッドの有名な大スターであることを知りませんでした。聞けば彼は、熱心な仏教徒だという

ことでした。

さて、こうして丸一週間、午前中は科学者が最先端の話をし、午後はディスカッションをするのですが、法王は非常に厳しい質問をなさいます。科学に対する見識と期待をひしひしと感じました。法王はこう語られています。

「二一世紀にはいろいろな難問に人類は直面します。その難題は科学だけでも宗教だけでも解決しない。宗教がもたらす人間性への深い理解と現代科学の知見を融合して苦難を克服しなくてはならないのです」

一週間の対話の最終日、法王は私を呼ばれて、「こういう会を日本でもやりたい」とおっしゃいました。これまでの対話が西洋の科学者中心であったため、東洋の科学者との対話を行うことを強く望んでおられたのです。

そして私の手を握って、「日本は二一世紀には非常に大切な国になります。日本の出番がきますよ」と言うのです。

なぜ日本なのか。日本は、西洋の科学・技術を取り入れて経済大国になりながら、西洋のように自然と敵対するのではなく、むしろ自然を敬い、自然とともに暮らし、周りの人と助け合いながら生きてきた。この日本人の伝統的な調和の精神や文化こそが、混乱と不安に満ちたいまの世界に必要だと法王は言うのです。

たしかに日本という国は、外からたくさんの文化を取り入れていますが、無条件に受け入れるのではなく、日本に根づくものだけを取捨選択して取り入れてきました。

西洋からのさまざまな知識や技術を取り入れる一方で、西洋のように自然と敵対し、自然を支配しようという考えではなく、自然を敬い、自然と共に暮らす生き方を「自然に」続けてきました。

こうした自然と調和のとれた日本人の精神や文化が、混乱と不安に満ちたいまの世界に必要だと、ダライ・ラマ法王はおっしゃるのです。私たちも、日本という国、日本人という民族を、外からの声を参考にしながら見直していく必要があるのではないでしょうか。

さて、これからの日本の役割として私が強く感じるのは、人間が本来持っている利他的遺伝子をONにする生き方を伝えることです。

東日本大震災以降、そしてコロナに悩まされているいま、人のために、世の中のために生きたいと思う人が、これまで以上に増えてきました。多くの日本人の心の中で利他的遺伝子がONになったことで、このような変化が起こったのです。

さらに、震災時には海外から多額の義援金が届けられ、援助に駆けつけてくれた人もたくさんいました。悲しく辛く忘れてしまいたいような出来事が続きますが、それをきっかけに、日本人ばかりではなく、地球上のたくさんの利他的遺伝子がONになっているのは間違いありません。

東日本大震災の傷がまだ癒えないまま、かぶさるようにコロナ禍に見舞われている日本ですが、あの敗戦からも、毎年のように襲い掛かる自然災害からも立ち上がってきた国民でもあります。その痛みを抱えながらも、世界がより利他的になっていくようにリーダーシップを発揮できるのが日本人だと思うのです。

それがダライ・ラマ法王のおっしゃる「二一世紀は日本の出番」ということなのだと、私は思っています。

まとめ

コロナ禍、大災害と、多くの痛みが人類を襲い地球の危機が叫ばれ始めているいまこそ、利他的生き方をしてきた日本の出番。

おわりに

全体のまとめを兼ねて
～「コロナ」の暗号に隠された人類生存の知恵

＊「コロナ」が促した生き方の転換

改めて振り返ると、二〇二〇年から二一年にかけて、世界に広がった新型コロナウイルスのパンデミック（感染爆発）は、人類の生存を脅かし、政治や経済・社会、そして私たちの働き方や日常生活まで大きく変えてしまいました。

この変化は、たとえば場所や時間に縛られない生き方とか、いままで隠されてきたものが明るみに出たとか、世界に大きな分断ができたとか、一人ひとりが意見を発信できるようになったとか、さまざまな分野に及びます。

全人類に対して「コロナ」の発したこの暗号（メッセージ）を、私たちは冷静に謙虚に読み解いていく必要があると考えて、私はこの本を書いてきました。

じつはこの変化の兆候は、「コロナ」以前からしばしば指摘されてきていました。私の専門である生命科学はもちろん、物理学や心理学の分野などでも、次々と新しい流れが生まれつつあります。そして科学と、科学を支えるものの見方の新しい流れは、大きくうねりながら人々の考え方の見直しを迫ろうとしています。

その芽生えは、およそ四〇年以上前に科学技術最先進国のアメリカで始まりました。「ニューエイジサイエンス」とよばれた一連の知のうねりがそれです。

一九七〇年代後半に始まったこの動きは、物質と精神を区別して考える、要素還元論的な古典的ニュートン科学に対して、物質と精神（意識）の相互作用を認めるものです。量子力学や宇宙論、トランスパーソナル心理学などはその代表的な分野といえます。

最近では、二〇〇〇年ごろから提唱され始めた概念で、人類による自然支配や地球環境の変化を重要視する新たな時代区分「人新世」（アントロポセン）が注目されていることは、本文で述べたとおりです。

しかし、これまでの科学や、それにより支えられている近代社会を乗り越えるといっても、近代社会をすべて否定するわけにはいかないでしょう。

いま私たちが考えるべきことは、近代科学が発達する前の時代に戻ることではありません。もちろんそんなことはできないのです。私たちは、いままで見えなかった捉えられなかった世界に対して、既成概念をとっぱらい勇気をもって科学的に探求するべきだと思います。

＊新しい生き方のヒント「新3S」

「3S政策」という言葉をご存じでしょうか。第二次世界大戦後、アメリカが戦後の日本を骨抜きにしようと考えたといわれる政策です。3Sは、Sports（スポーツ）、Screen（映画）、Sex（セックス）のことです。

国民が社会不安や政治のことに目を向けないように、こういう娯楽や欲望で誤魔化してしまおうというものです。

この政策とは逆に、私はいま、日本の国力を高めるための「3S」を提唱しています。村上版「新3S」は以下のとおりです。

- Science（サイエンス＝科学）
- Spirituality（スピリチュアリティ＝霊性）

・Sustainability（サスティナビリティ＝持続可能性）

サスティナビリティとは平たくいえば、環境やエネルギー問題を考えて、「よいものを長く使うライフスタイル」といった意味です。

この三つの考え方は、いままでにも理論としてはありましたが、サイエンス以外の二つはあまり重視されてきませんでした。それぞれが相互に関係を持って機能することもありませんでした。

もともとサイエンスとスピリチュアリティは、科学と宗教性という対立的な概念として捉えられていましたし、サスティナビリティは大量消費の使い捨て社会の中でほとんど目を向けられていませんでした。

しかし、これからはこの三つのSがあらゆる社会システムの基盤として認識されることが必要ではないでしょうか。

まず、サイエンスですが、広島や長崎の悲劇も、チェルノブイリや福島の原発事故も、科学には大きな責任があります。科学が、原子力という想像を絶するエネルギーを発見したがために、人類を危機に直面させる事態となったのです。

しかし、だからといって科学を否定することはできないと私は思っています。科学は、「生命はどこからきたのか？」「宇宙はどうやって誕生したのか？」という、人類がずっと持ち続けてきた根源的な問いに立ち向かっています。

私はむしろこれからは、いままで分からなかった、見えなかったスピリチュアルの分野が、科学の進歩によって明らかになっていくのではないかと思います。スピリチュアリティは科学である、という時代に向かっていくでしょう。そしてサスティナブルな世界もまた、科学によって実現していくものだと思います。

ですから、戒めなければならないのは、科学が一握りの人の利益のために使われたり独占されたりすることです。科学とは人類の幸福のためにあることを、改めて肝に銘じなければなりません。

＊西洋と東洋を結ぶ、合理性の先へ

古来、東洋のものの見方は、人間も自然も緩やかに調和し、個人の自我意識も全体の中にうまく溶け込むといった、包括的・全体論的なものでした。仏教思想の世界観・宇宙観を示すとされる「マンダラ」の考え方は、まさにこの東洋的なものの見方の極致でしょう。

しかし、西洋のものの見方が行き詰まったからといって、すべて否定するわけにはいきません。また、東洋のものの見方が素晴らしいからといって、そればかりに頼るわけにもいきません。私は、西洋と東洋は相対立するものではなく、相補的なもの、つまり「二つで一つ」の関わり合いを持つと考えています。

全体論と還元論の両方のものの見方が持てたとき、部分も全体も、高度な繋がり合いの関係にあることが見えてくるのではないでしょうか。

科学技術があまりにも進歩したため、現代人は、何事も合理的に考えるのは得意になりましたが、合理を超えるもの、目に見えない力を感じとるのは不得手になってしまいました。

この世は、合理的なものと合理を超えるもの、目に見えるものと見えないもので成り立っていますから、合理だけに目を向けていると、一部しか見えていないことになります。

合理を超えるものとは、非合理なもののことではなく、現在の常識や科学の力ではいまだに解明されていないもので、〝超合理〟とも呼べるものです。はっきりした形を持った部分ばかりを見ていると、部分と部分の繋がり合いや全体像が見えなくなります。

こうした「繋がり」に目を向け、〝超合理〟の世界にも踏み入ろうとしているのが現代であるといえます。西洋と東洋が手を携え、ともに新しい文明像を模索していこうという兆《きざ》しが感じられます。

＊新しいライフスタイル「つつしみ」

私は、物への執着、つまりは所有することを求め続けることをなくし、互いに助け合って暮らす「つつしみ」の心こそ、新しい文明像と、個々人のライフスタイルを考える上でのキーワードになると考えます。

先に挙げた「一万個の実をつけるトマト」の例でいうなら、トマトは潜在能力としては一万個の実をつけることができても、生態系の中での適正規模を守っているから、普通一〇個ぐらいしか実をつけません。トマトは、生態系の高度で有機的な調和のために、「つつしんで」いるのだとも考えられます。

もちろんトマトに限るわけではありません。地球上の全生物が、こうした意味で互いに助け合い、「つつしみ」合っているともいえるのではないでしょうか。

私たちはいま、飽食の時代といわれる生活を送っていますから、「つつしむ」のは難しいかもしれません。一度手にしてしまった便利さや豊かさを捨てるのは、誰にとっても容易ではありません。しかし、いまは環境問題が全世界の共通課題となり、シンプルなライフスタイルが支持されるようになっています。

たとえば、食品の廃棄についても、社会全体で改善への取り組みが行われていて、人々の意識が変わってきているのが感じられます。

さらに、発展途上といわれる社会の本当の価値も見直されています。そこには、先進国の人々が忘れ去った、穏やかな自然とともに、細やかな親子関係や情愛が残されていることに気づいてきたのです。

人間の心を本当の意味で豊かにしてくれる伝統文化や、常に自然との繋がりを感じながら生きる姿に、真の豊かさを感じる人が多くなっていると思います。

何よりも心の質を高めていくべきです。そして、本当の意味でバランスのとれた文明のあり方を目指す必要があると思うのです。

＊「つつしむ力」が持続・共存社会をつくる

現在の日本は、核兵器をつくる技術を持っているにも拘らず、決して製造しません。憲法や国民の強い反核意識が歯止めになっていると思われますが、別の観点から眺めると、これは「つつしみ」ではないでしょうか。

私の言う「つつしみ」とは、たとえば、十分に持っていても、二割つつしんで八割だけ使うというような態度のことです。

一人ひとりの毎日の暮らしでも、こうした心遣いが大事であり、また国と国との関係などを考えるときにも、「つつしみ」はキーワードになると思うのです。

いまの国際社会の平和は、核兵器の脅威による抑止力で維持されていますが、譲る心や「つつしみ」の心で他民族と和していくのでなければ、真の平和は獲得できないと私は思います。

現実に、私たちは科学技術のおかげで快適な生活環境をつくっています。しかし、そのために人間の生き生きとした情感や精神性が失われていったのでは、人間の幸福からはかえって遠くなります。

技術とは、お金と同じようなものです。社会に役立てることもできるし、身を滅ぼすことにも使えます。道を拓くために使うこともできれば、運命を悪くする使い方もできます。一部に、科学技術のあまりの進歩は悪であるとする考え方もありますが、私はそうは思いません。要は、使う人間次第なのです。

科学は、宇宙や大自然、遺伝子などの精妙な仕組みをつくった「サムシング・グレート」の思いとその働きを理解し、真理を探求することに繋がるものと私は考えています。

謙虚でつつしみ深い態度があれば、科学と技術は人間の心の成長に見合った形で適正に進歩し、持続可能な共存社会をつくるために役立つはずです。

謙虚とか「つつしみ」とかいうと、一見、消極的な態度のように感じられますが、決してそうではありません。じつは、さまざまな意味で過酷なこの時代を生き抜く、たくましい力を持った生き方こそが、「つつしみ」だと思います。

その意味では「つつしみ」は一つの大きな力、「つつしむ力」だといっていいでしょう。

すべての人類が、「サムシング・グレート」のもとでは兄弟姉妹であることに気づいた人たちが緩やかに繋がって助け合っていく。地球という大きな視野の中で自分が果たすべき役割を意識して行動する。そのような「つつしむ力」を持つ人々が世界を

〈著者プロフィール〉
村上和雄（むらかみ・かずお）
1936年、奈良県生まれ。京都大学大学院博士課程を修了。米国オレゴン医科大学研究員、同バンダービルト大学医学部助教授を経て、78年、筑波大学応用生物化学系教授となり、遺伝子の研究に取り組む。高血圧の黒幕である酵素「レニン」の遺伝子解読に成功、世界的に脚光を浴びる。96年、日本学士院賞を受賞。筑波大学名誉教授。心と遺伝子研究会代表。『生命の暗号』『アホは神の望み』（ともにサンマーク出版）、『運命の暗号』（幻冬舎）、『スイッチ・オンの生き方』（致知出版社）ほか多数の著書がある。2021年4月逝去。

コロナの暗号
人間はどこまで生存可能か?

2021年7月5日　第1刷発行

著　者　村上和雄
発行人　見城 徹
編集人　福島広司
編集者　杉浦雄大　鈴木恵美

GENTOSHA

発行所　株式会社 幻冬舎
〒151-0051　東京都渋谷区千駄ヶ谷4-9-7
電話　03(5411)6211(編集)
03(5411)6222(営業)
振替　00120-8-767643
印刷・製本所　図書印刷株式会社

検印廃止

ISBN978-4-344-03816-5　C0095
幻冬舎ホームページアドレス　https://www.gentosha.co.jp/

この本に関するご意見・ご感想をメールでお寄せいただく場合は、
comment@gentosha.co.jpまで。

変えていくと私は思うのです。

「つつしむ力」とは、地球という大きな視野の中で自分が果たすべき役割を意識して行動することだと思います。

この「つつしむ力」こそが、今般の「コロナ」が暗示するメッセージであり、度重なる異常気象や大災害はもちろん、新たに危惧される地球の危機状況から、私たち人類が読み取るべき重要な教訓なのではないでしょうか。


最後に、この人類の将来が問われる大切な時期に、大変意義ある出版のきっかけを作ってくださったDull Boi Academy塾長大越俊夫氏、企画構成段階からお世話いただいた福島茂喜さん、そして、執筆や校正に関して並々ならぬご配慮を賜りお世話になった「心と遺伝子研究会」の坂本成子さん、堀美代さんに心からの御礼を申し上げます。